l' **ABC**daire

du

Chat

Robert de Laroche
Gilles Le Pape

Flammarion

Chat et chien sont volontiers opposés, et les amateurs de l'un sont souvent les détracteurs de l'autre. Est-il possible de nuancer le jugement d'un Buffon, qui fait du chat un être fourbe et du chien un fidèle compagnon ?

Parfois câlin, parfois sauvage, il semble que le chat n'en fasse qu'à sa tête et qu'il décide lui-même des moments qu'il nous accorde. Avons-nous vraiment réussi à domestiquer cet animal qui ne songe qu'aux escapades ?

Divinisé en Égypte et diabolisé dans l'Occident médiéval, symbole bénéfique de fécondité et animal de mauvais augure, le chat est, par son histoire, un être duel. Comment une même espèce peut-elle susciter une telle vénération en même temps qu'une répulsion si irrationnelle ?

COMMENT L'AB*Cdaire* Y RÉPOND...

Le guide de l'abécédaire p. 6

Il explique comment comprendre le chat en regroupant les notices de l'abécédaire selon trois perspectives scientifique, historique et culturelle. Un code de couleurs indique le genre de chaque notice :

■ La zoologie : les races, l'anatomie, les comportements.

■ La domestication : l'élevage, les soins.

■ L'histoire : les faits de société, les récits légendaires, les fables.

À partir de la lecture de ces notices, et grâce aux renvois signalés par les astérisques, le lecteur voyage comme il lui plaît dans l'abécédaire.

L'abécédaire p. 29

Par ordre alphabétique, on trouvera dans ces notices tout ce qu'il faut savoir pour comprendre le chat. L'information est complétée par des encadrés thématiques et des commentaires détaillés sur les principaux comportements de l'animal.

Le chat raconté p. 11

En tête de l'ouvrage, une synthèse reprend l'articulation du guide de l'abécédaire en développant chacun de ses thèmes.

I. AINSI SONT-ILS

A. Un univers particulier

Doté d'une bonne vision nocturne, capable d'émettre et de capter les ultra-sons, très sensible à des odeurs que nous ne soupçonnons même pas, le chat vit dans un monde assez différent de celui de notre espèce. C'est ce monde qu'il nous faudra apprendre à découvrir.

- *Audition*
- *Olfaction*
- *Vision*
- *Cri et feulement*
- *Tactiles (sensations)*
- *Intelligence*
- *Vibrisses*

B. Une double personnalité

Toutes griffes dehors, le poil hérissé, le chat est aussi l'animal le plus câlin qui soit, ronronnant de plaisir sous la caresse. Gros dormeur, il retrouve soudain ses redoutables instincts de chasseur si la moindre mouche perturbe sa sieste.

- *Activité insolite*
- *Grimper*
- *Queue*
- *Capture*
- *Jeu*
- *Retournement*
- *Cataire*
- *Miaulement*
- *Sommeil*
- *Griffes*
- *Personnalité*
- *Toilette*

II. UN SOLITAIRE PARMI LES SIENS

A. Un félin comme les autres ?

Avec son cousin le chat sauvage, le chat domestique est le plus petit des félins. Il en a la grâce, la puissance, la démarche souple, parfois la férocité. Contrairement à d'autres espèces domestiquées, le chat n'est jamais devenu totalement dépendant de l'homme et s'adapte remarquablement lorsqu'il est livré à lui-même.

- *Chat sauvage*
- *Chats libres*
- *Colonie*
- *Félin*
- *Prédation*
- *Régime alimentaire*

B. Les chats entre eux

Animal plutôt solitaire, le chat peut néanmoins vivre en groupe. Ainsi dans les villes, où des colonies de chats libres font preuve d'une grande tolérance mutuelle.

- *Hiérarchie*
- *Marquage*
- *Menace*
- *Organisation sociale*
- *Territoire et espace vital*

C. Sexualité et reproduction

La sexualité des chats manque singulièrement de discrétion, qu'il s'agisse des traces odorantes laissées par les mâles ou des miaulements sans fin des chattes en chaleur. Avec deux portées par an, et une moyenne de quatre ou cinq chatons par portée, la chatte consacre une bonne part de ses activités au maternage.

- *Développement*
- *Gestation et allaitement*
- *Infanticite et cannibalisme*
- *Maternage*
- *Piétinements*
- *Roulade*
- *Sevrage*
- *Sexualité*

III. UN DIFFICILE APPRIVOISEMENT

A. Les origines

La domestication du chat, dont on ne sait s'il faut l'attribuer à la Perse, à la Chine, à l'Égypte…, reste aujourd'hui encore très controversée, et certains auteurs considèrent que le chat s'est domestiqué « tout seul », s'approchant des greniers qui attiraient les rongeurs.

- ▨ *Chasseur de rats*
- ▨ *Égypte*
- ■ *Domestication*
- ▨ *Introduction*

B. Des chats pour nous plaire

Si la sélection génétique opérée depuis des milliers d'années chez le chien a donné une multitude de races très diversifiées, il n'en est pas de même chez le chat, qui n'en compte encore qu'un nombre réduit variant par l'aspect du pelage et la couleur des yeux.

- ■ *Chien ou chat*
- ■ *Génétique*
- ■ *Races*
- ■ *Élevage*
- ■ *Pelage*
- ■ *Systématique*

C. Le chat pour l'homme

Avec le chat, c'est un félin semi-sauvage que l'homme adopte. Indépendant, imprévisible, toujours prêt à fuguer, le chat n'a pas de maître, et si l'homme tient à sa compagnie, il lui faudra assurer son bien-être.

- ■ *Bien-être*
- ■ *Indépendance*
- ■ *Maladies*
- ■ *Castration*
- ■ *Lait, poisson, eau*
- ■ *Ronronnement*
- ■ *Expérimentation*
- ■ *Longévité*
- ■ *Sida*

D. L'homme pour le chat

Confronté tôt dans son développement à un environnement humain, le chaton peut faire preuve d'un grand attachement à l'homme. Mais nous avons souvent tendance à voir dans ses manifestations les plus tendres l'expression d'un amour exclusif, alors que nous ne sommes pour lui qu'un élément de son décor familier.

- ■ *Attachement*
- ■ *Frottement*
- ■ *Rythme d'activité*
- ■ *Développement*
- ■ *Indépendance*

IV. DIEUX ET DIABLES

A. Un objet de culte

Symbole de féminité et de fertilité, le chat a longtemps joui d'une profonde vénération. Divinisé chez les Égyptiens, il connut en Orient et en Asie un sort tout aussi enviable.

- *Bastet et ses épigones*
- *Égypte*
- *Féminité, félinité*
- *Lait, eau, poisson*
- *Noms du chat*
- *Yeux ou astres*

B. Un suppôt de Satan

Avec l'Église chrétienne, le chat, surtout lorsqu'il est noir, devient un être maléfique. Compagnon des sorcières, incarnation du diable, l'animal est dès le Moyen Âge accusé de tous les maux et se voit pourchassé, torturé, brûlé vif.

- *Bûcher et sacrifice*
- *Faiseur de pluie*
- *Mort*
- *Noir ou blanc*
- *Présage*
- *Queue*
- *Sixième sens*
- *Sorcières en sabbat*

C. Artistes et intellectuels

Mystérieux, indépendant, capricieux, élégant dans le moindre de ses mouvements, le chat a de tout temps séduit les artistes. Devenu animal de compagnie à part entière dès le XVIIIe siècle, il conquiert poètes et intellectuels aux XIXe et XXe siècles et suscite de véritables passions, allant parfois jusqu'à la manie.

- *Chat botté (Le)*
- *Indépendance*
- *Littérature*
- *Miaulement*
- *Poètes*
- *Représentation*

LE CHAT RACONTÉ

Quand l'homme parle des animaux, c'est toujours un peu de lui-même qu'il parle. Et lorsqu'il s'agit d'une espèce domestique, c'est-à-dire dont il a diversifié les milieux de vie selon ses propres critères, et non selon les choix spontanés de l'animal, orienté les caractères en choisissant soigneusement les reproducteurs plutôt qu'en laissant faire la nature, c'est d'une certaine façon « son œuvre » qu'il examine. Il devrait donc être enclin à n'en dire que du bien… Si c'est bien le cas en ce qui concerne le chien*, compagnon fidèle et dévoué, le chat est loin de rallier tous les suffrages. Rien d'aussi tranché, en effet, avec ce félin, à commencer par sa domestication* dont l'histoire conserve bien des zones d'ombre et dont on n'est pas vraiment sûr qu'elle soit tout à fait accomplie… Le chat n'est jamais devenu totalement notre objet. Sans doute est-ce l'une des raisons pour lesquelles il ne laisse personne indifférent, déclenchant tout autant de passion chez les cattophiles que chez les cattophobes. « Jamais chat n'entrera dans ma chambre ! » s'écriait Ronsard, qui avait ces animaux en horreur. Les défenseurs de Titi contre Gros-Minet, de Jerry contre Tom, s'expriment aujourd'hui avec autant de fougue : en témoigne le succès médiatique de la bande dessinée américaine intitulée *A Hundred and One Uses of a Dead Cat* (Bond, 1981), avec plus de 600 000 exemplaires vendus aux États-Unis en quelques mois, ou encore *I Hate Cats Book* ou *The Cat Hater's Handbook* (Van de Castle, 1983). Le chien, qui obéissait à la voix de son maître bien avant l'arrivée du chat, jamais n'a suscité cette allergie féroce.

Qu'on l'aime ou qu'on l'abhorre, force est de constater que le chat est omniprésent dans nos sociétés occidentales. Toutes les fermes abritent au moins un chat, plus souvent une petite colonie*. Il a adopté nos descentes de lit et les coussins du salon, et même les laboratoires de recherche ont trouvé intérêt à son étude. Mais parallèlement nous vivons entourés de chats revenus à la vie sauvage et qui, à l'occasion, gardent des interactions et des échanges avec nos compagnons. Voilà une particularité qu'aucun autre animal domestique ne partage. Le chat, à la fois domestique et sauvage, présent et absent, visible et caché, familier et secret, social et solitaire, est lui-même porteur d'ambivalence.

Pour dépasser cette opposition, il faut d'abord comprendre l'animal, savoir comment il fonctionne, quelles sont ses habitudes quand on le laisse vivre libre avec ses congénères ; le regarder ensuite vivre avec nous et enfin tenter de saisir le mystère de ce félin qui fascine ; voilà le cheminement qui nous attend dans cet ouvrage.

Francisco Goya, *Manuel Osorio Manrique de Zuñiga*, 1788. H/t 127 × 106. New York, Metropolitan Museum of Art.

I. Ainsi sont-ils
A. Un univers particulier

Profitant de la fenêtre ouverte, un chaton s'échappe sur le toit et file le long de la gouttière. Un matou, qui somnolait tranquillement sur le tapis du salon, se lève brusquement, franchit la fenêtre à son tour et ramène le petit imprudent dans la maison. L'adulte a-t-il senti le danger ? Comment a-t-il su que le jeune était sorti et comment a-t-il fait pour le retrouver si vite ? Sixième* sens ? L'explication est plus simple : le chaton, manquant d'expérience, a été pris de vertige quand il s'est agi de faire demi-tour. Sans doute a-t-il poussé un cri* de détresse qui aura alerté et orienté la réaction de l'adulte. Mais ce cri appartenait à la gamme des ultrasons, si bien que nous n'avons rien entendu : notre univers n'est pas celui du chat. De même, s'il

nous semble inexplicablement attiré par tel endroit du jardin ou par tel recoin de la grange, c'est que notre olfaction* émoussée ignore les odeurs qui s'y trouvent et les précieux renseignements qu'elles livrent à propos des chats qui sont passés là quelques heures ou quelques jours plus tôt. Pour ce qui est de la vision* et des sensations tactiles*, il nous est beaucoup plus facile de pénétrer l'univers félin : il suffit pour cela d'oublier les couleurs (imaginons une nuit de pleine lune), et… de marcher les bras tendus afin d'éviter les obstacles, comme l'animal utilise ses vibrisses*. Ainsi donc, en approfondissant nos connaissances de l'univers perceptuel du chat, et avec quelques efforts d'imagination, il devient possible de se faire une idée assez juste du monde dans lequel il vit.

B. Une double personnalité

Fidèle à son image faite de contradictions, le chat semble capable de faire chaque chose et son contraire. Apprécié pour son silence, il peut se lancer dans des concerts de miaulements* à n'en plus finir. Roulé en boule sur le canapé, plongé dans un sommeil* profond, il peut soudain faire preuve d'une activité débordante, entamer une course folle, grimper* au sommet d'un arbre, sauter d'une hauteur impensable et retomber sur ses pattes, ou bien rester penaud, ne

sachant comment descendre. Toutes griffes* dehors devant sa proie, ou lorsqu'il se sent menacé, il redevient câlin pour se frotter contre nos jambes, retrouve sa jeunesse pour jouer avec un bouchon, s'absorbe avec le plus grand sérieux dans une toilette* complète. Bref, il sait nous attendrir, mais aussi nous dérouter lorsqu'il poursuit une proie imaginaire, qu'il passe brusquement d'une occupation à une autre, ou que la simple absorption d'herbe-à-chat le plonge dans une transe mystérieuse.

II. Un solitaire parmi les siens
A. Un félin comme les autres ?

Tête ronde, oreilles courtes, corps souple et silencieux, le félin avance doucement, calmement. Et brusquement le nez s'abaisse, la proie est proche. L'avance est stoppée. Puis, après un petit affût, elle reprend, très lente et tendue jusqu'au bond final. La proie, aplatie sous les pattes avant, est tenue par les griffes et massacrée par de puissantes carnassières. Tous les félins* chassent et se ressemblent.

Tous sont faits de ce mélange de calme et d'agilité, de délicatesse et de puissance, de tendresse et de férocité. Mais notre chat est le seul félin apprivoisé, un félin qui a le sens du compromis : solitaire dans l'âme, comme son cousin le chat* sauvage, il sait s'adapter lorsqu'il est abandonné à lui-même, à la campagne comme à la ville. Contrairement à d'autres espèces devenues totalement dépendantes de l'homme, il n'a jamais perdu sa capacité à se nourrir seul. Et dans ce domaine également il fait preuve d'une grande souplesse, tirant profit aussi bien des proies animales que de nos dépôts d'ordures, d'herbes grignotées au passage que de croquettes artificielles, de l'eau de la rivière que du lait* donné par la fermière.

B. Les chats entre eux

Les félins présentent une grande diversité d'organisation* sociale, et il est bien difficile de dire comment vivait le chat avant d'être domestique. On peut s'en faire une idée en étudiant les colonies de chats revenus à la vie sauvage. Quand il s'agit de colonies peuplant des îles relativement inhospitalières ou des régions de bois et de landes, il est très rare de rencontrer plusieurs chats adultes ensemble, en particulier quand ils chassent. Mais dans les villes, à proximité des sources de nourriture, les animaux font preuve d'une grande capacité de tolérance mutuelle. Des études fines de comportement montrent qu'ils disposent de systèmes de marquage* qui les autorisent à passer les uns après les autres aux mêmes endroits, gérant à la fois l'espace et le temps. Cette double compétence à la vie territoriale solitaire et à la promiscuité est assez rare dans le règne animal et a sans doute contribué à la colonisation de milieux très différents par cette espèce.

C. Sexualité et reproduction

Les rencontres entre les sexes ne motivent particulièrement les animaux que pendant les chaleurs des femelles. Les chats ne font pas exception à la règle et ne se retrouvent que lorsque les mâles sont attirés par les bruyantes démonstrations des femelles ou par les traces odorantes laissées un peu partout. Ce sont en fait les seuls moments d'intense vie sociale des chats adultes, et les seules interactions entre mâles. Si ces confrontations sont parfois à haut risque, elles donnent rarement lieu à de véritables combats, car elles sont plus centrées sur l'activité sexuelle que sur les congénères de même sexe, et quelques attitudes de menace* sont suffisantes pour maintenir les indésirables

à l'écart. C'est dans leur activité maternelle que les chattes se montrent les plus sociales, capables d'élever collectivement des jeunes de plusieurs portées.

III. Un difficile apprivoisement
A. Les origines

Il semble que les communautés humaines sédentaires aient apprivoisé des animaux très tôt dans leur histoire, peut-être 20 000 ans avant J.-C. Pour que l'homme décide d'apprivoiser une espèce animale, il faut d'abord qu'elle présente à ses yeux un certain intérêt. Il faut ensuite que l'animal se laisse approcher, manipuler, qu'il supporte la promiscuité due aux conditions d'élevage*, que son régime* alimentaire ne soit pas trop strict… Beaucoup de critères qui expliquent que l'éventail des animaux apprivoisés soit finalement assez réduit. Le chat possède toutes ces qualités, et si l'on ne sait à qui

Double page suivante :
Michel Corneille, *Esaü cède son droit d'aînesse à Jacob*, 1630. H/t 115 × 126. Orléans, musée des Beaux-Arts.

attribuer précisément sa domestication, il est certain que celle-ci est relativement récente. Utile, il l'est de multiples manières, à commencer par ses capacités de chasseur* de rats et de souris. Sur les navires même, la protection des vivres lui fut souvent confiée, et sans doute est-ce grâce aux navigateurs que se fit son introduction* en Europe. Aujourd'hui encore, il limite les populations de rats autour des décharges d'ordures, dans les vides sanitaires des immeubles ou près des poubelles de nos villes.

B. Des chats pour nous plaire

Le devenir de l'animal domestiqué est d'être un objet conforme à nos désirs. Le moyen en est la sélection génétique*, technique consistant à ne faire participer à la reproduction que les sujets porteurs des caractères qui nous intéressent. Les chats ne sont sélectionnés que depuis peu de temps, et uniquement sur des critères esthétiques (parfois discutables) : couleur et aspect du pelage*, longueur ou absence de la queue*, couleur des yeux… Les races* sont aujourd'hui assez peu nombreuses et peu diversifiées, surtout si l'on songe aux innombrables races canines allant du chihuahua au dogue allemand, du caniche au labrador. Mais même quand nous ne nous mêlons pas d'élevage*, nos exigences à l'égard du chat sont sans limites : non seulement nous lui demandons de se contenter des quelques mètres carrés d'un appartement, de plier ses rythmes* d'activité aux nôtres, d'ingurgiter des aliments synthétiques et inodores, mais de plus, si son mode de communication olfactive nous incommode trop, si nous refusons de nous laisser envahir par des portées de chatons, nous le livrons au vétérinaire pour une castration* qui, certes, augmente sa longévité*, mais ne l'en prive pas moins d'un bon nombre d'émois.

C. Le chat pour l'homme

L'intérêt des hommes pour les animaux de compagnie est très ancien. Depuis fort longtemps, c'est le chien* qui a tenu cette place. Symbole de fidélité, de loyauté, d'obéissance, il nous comble par son affection démonstrative et par le pouvoir que nous avons sur ses comportements.

À l'opposé, le chat semble ne pas avoir de maîtres, tout au plus des gens qui le nourrissent et le réchauffent quand il en a décidé ainsi. Impossible à dresser, rebelle, il n'en fait qu'à sa tête. Si le chien se contente d'une tape affectueuse, le chat appelle une caresse bien différente : douce, rythmée, langoureuse, elle se fait vite sensuelle et

Jean-François Garneray (1755-1837), *Ambroise-Louis Garneray*. H/t 67 × 53. Musée national du château de Versailles.

troublante. Mais cet animal si câlin ne songe qu'à fuguer, et il nous faut sans cesse mériter sa compagnie, gagner son attachement*, assurer son bien*-être.

Il s'agit cette fois de posséder un félin, un proche cousin du lion et de la panthère, animaux mystérieux et puissants, sauvages parmi les sauvages. Le cinéma et la télévision, par de magnifiques reportages, nous ont donné le goût d'une nature libre, et les animaux enfermés et confinés des zoos ont perdu leur attrait. Mais nous n'avons pas pour autant les moyens, la patience ou le temps d'aller les observer nous-mêmes. Nous voulons cette nature à notre disposition, accessible, présente, à portée de nos sens. Sans doute ce désir de côtoyer la vie sauvage est-il pour quelque chose dans le fait que le chat supplante aujourd'hui le chien comme animal de compagnie dans les pays développés. Si cette relative sauvagerie séduit les uns, elle déroute les autres. C'est parce qu'il reste largement imprévisible que le chat n'est pas tout à fait domestiqué et que beaucoup le disent « fourbe ».

D. L'homme pour le chat

Tenter de voir avec les yeux d'un être qui ne nous parle pas est un véritable défi. C'est pourtant celui qui se pose à l'éthologiste qui cherche à comprendre ce qui fait agir les animaux. Héritiers de Darwin et des philosophes du développement industriel du siècle dernier, nous avons le plus souvent décrit les animaux sauvages comme ayant seulement deux buts dans la vie : manger et se reproduire, le premier n'étant bien souvent compris que comme une étape vers le second. L'observation fine et prolongée du chat* sauvage ou du lion nous révèle pourtant que ces deux occupations ne prennent guère plus de la moitié de leur temps. À partir du moment où nous pouvons l'élever, le cajoler quand il est jeune, l'habituer tôt à notre présence, d'autres processus que la simple attirance pour une source de nourriture se mettent en place, que les éthologistes appellent attachement*. En général, à cause des nécessités de la lactation, les jeunes mammifères sont élevés uniquement par leur mère. C'est donc elle, son image, sa voix, son odeur qui s'imprimeront dans le cerveau du nouveau-né.

Mais l'attachement ne se limite pas aux êtres animés. Le lieu de naissance, le cadre, l'entour – et le propriétaire du chat en fait partie – vont constituer pour l'animal une sorte de base rassurante, rappelant les premières heures vécues à l'abri de la chaleur maternelle. Peut-être est-ce surtout pour cela que le chat nous est fidèle. Pour la très grande majorité des animaux, il est probable que les éléments du

Théophile
Steinlen,
Des chats,
Paris, v. 1894.

paysage, ce que nous appelons « objets », ne conservent pas une signification constante au cours du temps, car cela nécessiterait d'abstraire ces objets – ou ces êtres – des actions dans lesquelles ils sont investis. Il est plus probable que l'entour de l'animal soit fait des éléments nécessaires à son action. Les objets ne prennent de sens que par rapport à cette action : l'homme est tour à tour objet-à-frotter, objet-qui-nourrit, objet-chaud-et-caressant. Mais quand il est objet-à-frotter il ne diffère pas fondamentalement du pied de table ou du congénère-à-frotter. Si l'homme convient au chat, c'est donc en partie parce qu'il le nourrit, parce qu'il fait partie de son environnement de naissance, mais surtout parce qu'il convient à ses actions. Ce qui oblige l'homme à être « convenable », la reconnaissance du chat est à ce prix.

Jérôme Bosch,
Le Jardin
des délices :
le paradis ter-
restre,
1503-1504.
H/b 220 × 97.
Madrid, musée
du Prado.

IV. Dieux et diables
A. Un objet de culte

De tous les peuples ayant adopté le chat dans l'Antiquité, les Égyptiens sont certainement celui qui lui voua le plus profond respect. Divinisé sous les traits de la déesse Bastet*, symbole de féminité* et de fertilité, ou Chat-Lumière assurant le retour du soleil après la nuit, le chat d'Égypte* possède un statut enviable. Momifié, embaumé, l'animal jouit d'une telle considération que l'on rapporte qu'il fut responsable de la victoire des Perses à Pelouse : les assiégeants s'étant avancés en brandissant chacun un chat vivant en guise de bouclier, les Égyptiens capitulèrent sans oser riposter. La célèbre légende de Mahomet, qui préféra couper sa manche plutôt que de troubler le sommeil de l'animal qui s'y était endormi, témoigne d'un respect semblable. Chez les hindous, la loi de Manou précise que « celui qui a tué un chat doit se retirer au milieu de la forêt et se consacrer à la vie des bêtes jusqu'à ce qu'il soit purifié ».

B. Un suppôt de Satan

En partie à cause de ses liens avec les anciennes déesses païennes, le chat devient sous l'influence de l'Église chrétienne un redoutable agent du diable. Au XIIIᵉ siècle, l'Inquisition représente les hérétiques vénérant le diable sous la forme d'un chat noir*. Les sorcières* se métamorphosent en chats pour venir à la nuit perpétrer leurs crimes et fêter leurs sabbats. Le Moyen Âge marque ainsi le début d'une longue période de terribles persécutions : dans toute l'Europe, aux jours de fête, les chats sont pourchassés dans les rues, torturés, empalés, précipités du haut des tours, jetés vivants dans les flammes des bûchers*. Cette haine ne va pas sans une part de misogynie, car féminité et félinité sont unies dans les mêmes clichés de sexualité débordante, de fourberie, de sauvagerie indomptable.

C. Artistes et intellectuels

Ce caractère rebelle ne pouvait manquer de séduire ceux-là mêmes qui se reconnaissaient en lui. À l'exemple du Chat* botté, qui cesse de courir les souris, le chat domestique gagne au XVIIIᵉ siècle ses galons d'animal de compagnie, avant de devenir symbole d'indépendance au XIXᵉ siècle, à l'époque où se construit l'image de l'artiste et du penseur détaché du mécénat de la Cour. Simple figurant des Cènes de la Renaissance italienne, il voit sa représentation* évoluer sous le pinceau des plus grands, de Toulouse-Lautrec à Paul Klee. Compagnon silencieux, témoin des longues nuits à la recherche de l'inspiration, le chat est plus que tout autre animal ami des savants, des musiciens, des écrivains, des poètes*. Joachim du Bellay, à la mort de son chat Belaud, ne cacha pas son chagrin : « Et j'ai perdu depuis trois jours / Mon bien, mon plaisir, mes amours… / À peu que le cœur ne m'en crève… »

Gilles Le Pape

■ Activité insolite

Le chat a parfois des comportements déconcertants : il lui arrive de balayer l'air de grands coups de patte alors qu'il n'y a pas la moindre mouche à attraper ou de poursuivre en zigzag une proie imaginaire ; il s'empare d'un insecte pour le relâcher aussitôt, « capture » une grosse pierre enfoncée dans le sol, ou encore saute brusquement sur un brin d'herbe. Ces « activités à vide », communes à beaucoup de félins*, sont difficiles à interpréter, car les stimulus qui les déclenchent semblent n'exister que dans la tête de l'animal. Chez un chat n'ayant pas eu l'occasion de chasser pendant plusieurs jours, une sorte de débordement de l'activité de capture* pourrait se manifester. Mais on peut aussi supposer que, d'une façon générale, l'envie de jouer est un mobile suffisant. Toutefois, contrairement au jeu*, ces activités à vide ne sont pas plus abondantes chez les jeunes que chez les adultes.

Des comportements tout aussi déroutants surviennent dans des situations de conflit, quand par exemple, au milieu d'un combat, le matou dominant se détourne brusquement pour flairer le sol avec intensité. Ces activités, dites « de substitution », semblent être liées au besoin de libérer une trop forte tension. Des léchages de substitution peuvent également apparaître en diverses occasions : le chat ayant immobilisé une proie se lèche brièvement l'intérieur des pattes avant de commencer à se déplacer ; une mère qui entend des jeunes hors du nid donne quelques coups de langue aux chatons restés près d'elle avant de partir à la recherche des égarés. L'impossibilité d'atteindre une proie bien tentante, comme un oiseau trop haut perché, crée aussi une situation de conflit qui entraîne parfois des claquements de dents « déplacés ». GLP

■ Allaitement.

Voir Gestation

Véronèse,
Les Noces de Cana
(détail),
1562-1563.
Paris, Louvre.

■ ATTACHEMENT

Depuis la définition de l'« empreinte » par Konrad Lorenz en 1937, les éthologistes ont étudié l'attachement du jeune animal au premier objet en mouvement auquel il est exposé, que ce soit sa mère, un autre animal ou un être humain. Cette imprégnation ne peut se produire qu'à un certain moment du développement*, dit « période sensible ». Déjà en 1930, dans une expérience pionnière, l'embryologiste Kuo avait élevé de jeunes chats avec une variété de rats dans les mêmes cages : par la suite, ces chats ne devaient jamais s'attaquer à des rats de cette souche.

Dès la fin des années 50, des chercheurs ont montré expérimentalement que des chatons manipulés chaque jour entre la naissance et le sevrage* étaient moins craintifs vis-à-vis de l'homme. Il semblerait donc que si l'on désire un compagnon sociable, docile et affectueux, une adoption très précoce soit souhaitable. Toutefois, soustraire ainsi l'animal à l'influence de sa mère et de ses congénères nuit gravement à la mise en place des comportements sociaux qui se prolonge jusqu'à l'âge de onze ou douze semaines. Un compromis est donc à trouver, qui permette au chat d'établir des relations harmonieuses à la fois avec l'homme et avec ses congénères.

La qualité de la relation du chat à son maître dépend en grande partie de ce que l'animal aura vécu dans son jeune âge. Une évolution reste bien sûr possible, mais chez l'adulte elle sera toujours plus longue et difficile. En outre, les chats sont bien différents les uns des autres et on évalue à 15 % les chatons réfractaires à toute socialisation. Ce que les propriétaires attendent de leur animal varie également beaucoup. Toute la question sera de faire coïncider les personnalités d'êtres qui ne se parlent pas et ne se comprennent pas toujours. GLP

Monastère des Météores, Grèce.
Photographie de David Seymour.

qu'auditives. À l'âge de six jours, les chatons réagissent de manière différente à des sons spécifiques déjà entendus (grondements de la mère, miaulements* ou cris*) et à des sons artificiels. Comme chez beaucoup d'espèces dont le répertoire vocal est varié, il semble que l'audition de la mère et des congénères soit une expérience nécessaire au bon développement* du jeune.

La localisation précise des sources sonores ne se fera pas avant dix-sept jours, et les mouvements des pavillons ne seront pleinement maîtrisés qu'à l'âge de trois semaines. L'oreille du chat est sensible aux ultrasons puisqu'elle peut percevoir des fréquences de l'ordre de 20 000 à 25 000 Hz (15 000 Hz pour l'oreille humaine). Comme chez tous les animaux nocturnes, la communication acoustique joue un rôle important et permet au chat de détecter une femelle en chaleur, d'être averti de la présence d'un intrus ou de retrouver un jeune qui s'est écarté du nid. La nuit en particulier, l'ouïe est fortement sollicitée dans la détection des proies, puis l'orientation de l'approche et de la capture*. GLP

■ Audition

Comme beaucoup de vertébrés, le chat naît avec un système auditif incomplètement développé. Cependant, dès la naissance, les pavillons des oreilles ont des mouvements spontanés et, dès le deuxième jour, ils s'orientent vers différentes sources de stimulations, aussi bien tactiles* ou visuelles

■ Bastet et ses épigones

Bastet, divinité à tête de chatte et à corps féminin, apparaît au sein du panthéon égyptien sous la XIIᵉ dynastie, soit vers 2000 av. J.-C. Elle s'inscrit dans la lignée des déesses-mères indo-européennes, Kali, Nout, Isis, Hathor, Sekhmet, Déméter, Artémis, Aphrodite, Diane, sans oublier la Marie chrétienne, parfois représentée comme Nout, déesse égyptienne du ciel, avec un chat à ses pieds.

L'avènement de Bastet intervient en toute logique à la suite de la domestication* du chat en Égypte* et de la disparition du lion, la douce Bastet supplantant alors la cruelle Sekhmet. La nouvelle déesse, vénérée par la suite à Per-Bast (*Bubastis* dans la transcription grecque), annonce le futur déplacement du pouvoir temporel et spirituel de la Haute Égypte vers le delta du Nil. D'abord protectrice et nourrice des enfants royaux (et par la suite de tous les nouveau-nés et enfants d'Égypte), Bastet est bientôt promue déesse de la musique, de la danse et de la maternité, patronne des magiciens, des médecins et des sages-femmes. Lorsque Bubastis devient capitale du royaume, à l'époque saïte (950 av. J.-C.), Bastet est considérée comme la divinité la plus importante d'Égypte, et son pèlerinage annuel attire des centaines de milliers de visiteurs, ainsi que le narre Hérodote.

Le fait que la chatte puisse avoir plusieurs portées par an n'est pas étranger au lien qui unit l'animal à diverses déesses de la fécondité. Ainsi, dans la mythologie germanique, Freya se déplace à bord d'un char tiré par de superbes chats blancs (ou noirs, selon les sources).

Bien qu'il ne soit pas question dans ce cas de fécondité, certaines saintes de la religion chrétienne sont elles aussi les protectrices du chat (sainte Marthe en Sicile, sainte Gertrude en Allemagne). Féminité* et félinité sont encore ici liées positivement, avant que s'impose l'image de la sorcière* et de son compagnon diabolique. RL

La Déesse Bastet,
Égypte,
Basse époque.
Statuette en bronze.
Paris, Louvre.

■ BIEN-ÊTRE
Au-delà des besoins primaires

Si la question du bien-être de l'animal captif se pose essentiellement pour les chats utilisés en expérimentation* et détenus en animalerie, elle concerne aussi tous les propriétaires d'animaux. L'état de bien-être est le plus souvent défini négativement, par l'absence de signes de mal-être : signes physiques, physiologiques ou signes comportementaux comme l'apathie, la prostration, les comportements stéréotypés ou les autoagressions. Mais au-delà de la satisfaction

des besoins primaires, on cherche aujourd'hui à assurer le bien-être psychologique. Les éthologistes considèrent en général qu'un animal se trouve « bien » quand l'occasion lui est donnée d'exprimer une grande partie de son répertoire comportemental. On cherche donc à améliorer la condition des chats captifs en leur offrant un espace suffisant, enrichi de divers dispositifs leur permettant de grimper* et de sauter (éléments mobiles suspendus, jouets cylindriques induisant des mouvements de capture*, poteaux de bois pour faire leurs griffes*, etc.), et en évitant autant que possible l'isolement social.

Les auteurs ne sont pas tous d'accord quant à l'importance des contacts sociaux pour l'équilibre psychologique du chat. Certains estiment l'animal suffisamment solitaire et asocial pour s'en passer, alors que d'autres insistent sur la nécessité d'échanges et de communication avec des congénères pour un développement* harmonieux des compétences sociales. En tout état de cause, il est probable que l'isolement total limite de manière importante les possibilités d'expression d'une grande partie du répertoire comportemental naturel de l'espèce, en particulier pour les jeunes chats. Il est pourtant pratiqué pour beaucoup d'animaux de compagnie, et s'avère parfois nécessaire, malheureusement, pour certaines expérimentations. GLP

■ Bûcher et sacrifice

L'Égypte*, pour être adoratrice du chat, n'en pratiquait pas moins des sacrifices, comme tendent à le prouver des momies portant des traces de fracture des vertèbres cervicales. S'il s'agissait sans doute là d'un geste visant à s'attirer les bonnes grâces de la déesse Bastet*, la signification des divers holocaustes de chats, tout au long du Moyen Âge et parfois au-delà du XVIIIe siècle, relève la plupart du temps d'une volonté d'exorciser le mal supposément incarné dans l'animal. Pour conjurer tous les malheurs, ou comme simple exutoire aux fléaux de l'époque (peste noire, famine, épidémies diverses), la pratique sacrificielle s'impose : substitut de la sorcière* – notamment à Metz et à Ypres – ou de l'insaisissable démon, le chat était le « bouc » émissaire tout

désigné. Bûchers, massacres et « jets » de chats intervenaient généralement à date fixe, lors de fêtes religieuses ou civiles greffées sur d'antiques célébrations, toutes liées au cycle calendaire : dimanche des Brandons (fin du carnaval), Saint-Jean (solstice d'été), veille de la Toussaint (la *Samhuin* celte), Noël (solstice d'hiver). En Pologne, le sacrifice de chats avait lieu le mercredi des Cendres ; dans le Schleswig-Holstein, en Allemagne, un chat personnifiant Judas était jeté du haut des églises le vendredi saint.

À Aix-en-Provence, le « jeu du chat » avait lieu le jour de la Fête-Dieu. En Belgique, à Ypres, pendant la deuxième semaine du carême, plusieurs chats étaient précipités du beffroi de la ville ; ce sont de nos jours des peluches que l'on immole symboliquement lors du *Kattestoet*. La plus tristement fameuse de ces festivités se déroulait à Paris lors de la Saint-Jean, en place de Grève. Entouré des échevins, le roi lui-même venait allumer le brasier dans lequel se consumaient les chats enfermés dans un sac. Louis XIV s'y rendit pour la dernière fois en 1648 ; Louis XV, grand ami des chats, mit fin à cette coutume barbare. L'emmurement, sacrifice d'un autre type, était également prisé. De son antique pouvoir de *genius loci*, le chat, dès l'époque médiévale, est lié à l'idée de pérennité d'une construction ; d'où la coutume d'emmurer dans la maçonnerie un animal vivant ou de l'enterrer sous une des poutres maîtresses, afin d'assurer la longévité de la bâtisse. RL

Bûcher de chats sur la place de Grève lors de la nuit de la Saint-Jean. Illustration de Job pour *Le Bon Roy Henry* d'Abel Hermant, v. 1900. Paris, bibliothèque des Arts décoratifs.

■ Capture

Si on a parfois l'occasion de voir des jeunes accompagner leur mère, le chat adulte chasse généralement seul. Trottinant le long des routes et des chemins, il atteint au plus court un lieu de chasse où il a récemment capturé des proies. Il se déplace alors plus lentement, s'arrêtant souvent, les sens aux aguets. La détection et l'identification des proies à distance utilisent aussi bien l'audition*, en particulier la nuit, que la vision* ou l'odorat. Quand il a découvert un endroit potentiellement intéressant, par exemple un terrier de rongeur, il s'immobilise. Si une proie apparaît à l'entrée du repaire, il attend que celle-ci soit complètement sortie et se soit un peu éloignée. De très subtils changements de posture indiquent que la tension est maximale et que le bond est proche : le chat est plaqué au sol, le train postérieur légèrement soulevé.

Après l'avoir immobilisée, le chat a l'habitude de poser sa proie sur le sol, de la lâcher, de regarder brièvement alentour, puis de la reprendre et souvent de la déplacer avant de la consommer. Cette séquence quasi obligatoire est plus longue si elle a lieu dans un endroit peu familier ou si l'animal capturé est inhabituel. Les vibrisses* du chat le renseignent sur les mouvements de sa proie, mais il arrive que certains rongeurs, qui réagissent à la capture en « faisant le mort », profitent de cette courte pause pour s'échapper.

Le chat tue généralement par une morsure à l'arrière du cou, brisant la colonne vertébrale. Il mange les rongeurs avec précaution, dans le sens du poil, et plume les oiseaux avant de les dévorer. Mais il n'est pas rare que les chats, en particulier les femelles et les mâles castrés*, ramènent leurs proies à la maison et les déposent aux pieds de leur maître. Ils peuvent jouer quelque temps avec leur victime avant de la tuer, après l'avoir tuée, ou même sans la tuer du tout. Comme beaucoup de prédateurs*, le chat ne chasse pas

la différence est sans doute plus à chercher dans les motivations de l'animal : ainsi, les chattes ayant des jeunes paraissent chasser plus et mieux que les femelles adultes sans jeunes. Mais il est difficile de déterminer si les performances sont réellement meilleures ou s'il s'agit simplement d'une plus forte tendance à rapporter les proies à la maison quand il y a des chatons. GLP

■ Castration

Les chattes se reproduisant librement donnent naissance à huit ou dix chatons par an, ce qui est bien plus que n'en peut accueillir un propriétaire. Les mâles procèdent à des marquages* incessants de toute la maison, leur urine a une odeur forte et ils se battent volontiers. Pour éviter ces inconvénients, et devant l'augmentation du nombre de chats errants, la castration des animaux des deux sexes représente un moyen efficace.

Dans près de 90 % des cas, les mâles cessent d'uriner partout, sauf s'il y a trop de chats sous le même toit. Pour beaucoup de mâles adultes, la castration réduit considérablement le vagabondage et la tendance à se battre, que l'animal soit castré avant ou après la puberté. Elle est suivie d'une prise de poids liée au changement hormonal et à la baisse d'activité. Si la castration n'est intervenue qu'après la puberté, certains éléments des comportements sexuels peuvent persister de manière très atténuée, chez la femelle comme chez le mâle.

Force est de reconnaître que la plupart des études portant sur les effets de la castration envisagent avant tout le point de vue du propriétaire, plus rarement

uniquement pour se nourrir, mais parce que la proie l'excite, le fascine, l'hypnotise.

Tous les paysans savent que certains chats sont meilleurs chasseurs que d'autres. Bien que les aptitudes de chaque individu soient influencées par les conditions de son développement*,

Illustration extraite des *Contes* de Perrault, *Le Chat botté.* Album pour enfants, 1954.

celui de l'animal. Il a été établi que la longévité* est accrue chez les mâles castrés et que des maladies* comme la leucémie ont une incidence beaucoup plus forte (sans qu'on sache vraiment l'expliquer). Mais peu de données précises ont été recueillies concernant les changements qu'une telle opération ne peut manquer de produire dans la vie du chat et sa manière de percevoir le monde. En particulier, les conséquences sur les relations sociales des chats vivant en colonies* sont très mal connues. GLP

■ Cataire

La cataire ou chataire (*Nepeta cataria*) tire son nom du latin *cattus* (« chat »). Cette plante herbacée de la famille des labiées dégage une odeur forte cataire est assez reproductible : le félin s'approche de la plante, la flaire abondamment et commence à la mâcher. Au bout d'un court moment, il se frotte contre elle et fait des roulades*. Souvent, il se met à miauler. Qu'il s'agisse d'un mâle ou d'une femelle, castré* ou non, les postures observées rappellent beaucoup la voluptueuse excitation des chattes en chaleur : l'animal semble plongé dans une sorte d'extase, d'état second, plus ou moins hébété ou réagissant à des stimulations imaginaires. Seulement la moitié des chats sont capables de détecter cette odeur, et cette capacité est héréditaire. Les mâles sont plus sensibles et plus excités que les femelles.

Extraite de la plante, la népétalactone est aujourd'hui vendue

due à une essence particulière, la népétalactone, qui a le pouvoir d'attirer les chats et, d'une façon générale, la plupart des félins*. La valériane officinale, d'odeur camphrée, possède des effets semblables, et les deux plantes partagent l'appellation d'« herbe aux chats ». La séquence de comportement exprimée en présence de la dans le commerce, soit sous forme directement utilisable, soit dans des jouets « parfumés ». Mais ce qui est présenté sous l'appellation abusive d'« herbe à chat » n'est souvent qu'une petite pelouse miniature faite de graines d'orge ou de blé, destinée au chat d'appartement pour le plus grand bien de son transit intestinal. GLP

Chasseur de rats

À la campagne comme à la ville, le rat est un fléau. Le mot seul évoque aujourd'hui encore toutes les pestes de l'histoire. Contre ces masses grouillantes qui infestent les égouts, les cachots, ravagent les récoltes, le chat constitue depuis longtemps l'un des meilleurs remèdes. On comprend dès lors que l'Europe du Moyen Âge ait tenu le chat ratier en haute estime : le code de Howel Dda, prince gallois du Xᵉ siècle, prévoyait, par exemple, en compensation d'un chat tué ou volé, sa hauteur en grain ou une brebis et son agneau.

Situation paradoxale pour un animal goûtant peu l'eau*, le chat ratier était également le bienvenu sur les navires mar-

La Guerre entre les chats et les souris. Fresque de la fin du XIIᵉ siècle. Pürgg (Autriche), chapelle Saint-Jean.

« Le chat devint un grand seigneur, et ne courut plus après les souris que pour se divertir. »

Charles Perrault, *Le Chat botté*, 1697.

chands, où il assurait l'acheminement intact des vivres et de la cargaison, le bon état des cordages et des voiles, l'hygiène sanitaire. C'est aux assureurs génois que l'on doit, semble-t-il, d'avoir institutionnalisé la présence de ces passagers. Venise fit de même dès le XVᵉ siècle, enrôlant les plus féroces chats ratiers que l'on pût trouver en Syrie. Les navires faisant commerce avec les nombreux comptoirs de la République sérénissime devaient compter plusieurs chats parmi leur équipage, et des marins étaient spécialement chargés de subvenir à leur entretien et d'empêcher leur fuite à terre aux escales. En France, au XVIIIᵉ siècle, alors que le chat devient animal de compagnie, c'est aussi dans la marine marchande qu'il trouve une dernière fois sa fonction utilitaire. Colbert, s'inspirant de l'exemple vénitien, devait pérenniser la formule : « Ce navire est en état de naviguer : il y a deux chats à bord. » La marine de guerre n'a pas dédaigné pour autant l'animal, notamment en Grande-Bretagne où cet inappréciable allié a toujours joui du statut de mascotte. RL

▪ Chat botté (Le)

Animal utilitaire ou ami de l'homme ? Cette transition entre l'état de prédateur* et celui de membre à part entière de la cellule familiale, entre Moyen Âge

Le Chat botté. Illustration de H. M. Brock pour le conte de Charles Perrault, av. 1914. Paris, bibliothèque des Arts décoratifs.

et époque moderne, nous pouvons en déchiffrer les prémices à travers un conte vraisemblablement issu d'une tradition orale italienne, et qui cheminera dans toute l'Europe pour trouver sa forme la plus parfaite grâce à Charles Perrault.

Le Chat botté ou le maître-chat, qui figure dans les *Contes de ma mère l'Oye* (1697), est l'un des ultimes avatars d'un récit mettant en scène un jeune homme pauvre qui toutefois possède un trésor insoupçonné. Le trésor ici est un chat, qui par ses talents de chasseur* de souris, sa ruse et quelques sortilèges, assurera à son maître fortune, gloire et bonheur. Le conte, sous sa forme écrite, paraît pour la première fois à Venise dans les *Facétieuses nuits* de Giovanni Straparola (1550), resurgit à Naples sous la plume de Giambattista Basile dans *Le Conte des contes* (1634), avant d'inspirer Perrault puis les frères Grimm. En Angleterre, *Le Chat botté* est adapté à l'histoire en partie véridique de Dick Whittington, enfant pauvre des faubourgs devenu lord-maire de Londres à l'aube du XVᵉ siècle, et qui dut sa fortune, dit-on, à un chat particulièrement ingénieux.

Quelle que soit la trame du récit, dans chaque cas de figure, les intentions de l'auteur sont similaires : il s'agissait, à la fin du Moyen Âge, de réhabiliter le chat, de vanter son adresse, sa malice, de faire de lui un animal utile mais surtout de bonne compagnie, capable d'assurer par sa seule présence le bien-être des humains. Quand la fiction annonce la réalité future… RL

■ CHAT SAUVAGE
Un lointain cousin

Felis sylvestris sylvestris, appelé plus justement « chat forestier », mérite pourtant bien son qualificatif de « sauvage », car il est rare de pouvoir l'observer, surtout de jour. Principalement nocturne, il entre en activité un peu avant la nuit et jusqu'au petit matin. Dans l'est de la France, au tout début du printemps, avant que l'herbe soit haute et que les bovins l'aient foulée, en parcourant en fin de journée les petites routes longeant des prairies en bordure de forêt, un promeneur attentif pourra avoir la chance d'apercevoir un gros chat plutôt clair, avec des rayures bien plus discrètes que celles de nos chats tigrés, et surtout muni d'une queue plus longue, épaisse, marquée d'anneaux et terminée par un gros manchon noir.

Bien que très bon grimpeur, le chat forestier, comme le chat domestique, chasse uniquement au sol, à l'approche et à l'affût. Son régime* alimentaire est constitué presque exclusivement de petits rongeurs (campagnols, mulots…) et

de lapins, très rarement d'oiseaux, trop mobiles pour lui, et il choisit de préférence des animaux âgés ou malades, plus faciles à attraper. Comme tous les prédateurs*, il contribue ainsi à la bonne santé des populations de ses proies. À l'occasion, il ne dédaignera pas une carcasse de chevreuil, de mouton ou de sanglier.

Le chat sauvage a été présent dans toute l'Europe, de la Russie à l'Atlantique, jusqu'à la fin du XVIIIᵉ siècle. Puis, sans doute à cause du morcellement du massif forestier et d'une chasse abusive, ses populations ont diminué au point de disparaître de plusieurs pays (Autriche, Hollande…). Actuellement, sous l'effet du reboisement et de la protection dont il fait l'objet, il tend à recoloniser les régions perdues. Les grands massifs forestiers, loin des hommes, constituent son habitat de prédilection, mais on peut aussi le trouver à proximité de zones humides, autour des grands étangs de Lorraine ou dans les forêts inondables des bords du Danube. On ne le rencontre pas en altitude car il n'aime guère les climats rudes, en particulier la neige profonde où il se déplace difficilement et où ses proies sont rares. Présenté comme un animal cruel et féroce, le chat sauvage fut longtemps chassé pour sa fourrure et détruit pour protéger le gibier. Depuis 1976, l'espèce est protégée. Elle reste toutefois très mal connue. On sait que des hybridations avec des chats domestiques errants* ou des chats harets* se produisent, mais les données précises font encore défaut et diffèrent beaucoup d'un auteur à l'autre. Si les populations de chats sauvages sont trop morcelées, les rencontres avec des chats errants seront plus fréquentes, et il est possible à terme d'obtenir une population hybride dans laquelle *Felis s. sylvestris* se dilue peu à peu. GLP

■ Chats libres

Conséquence des nombreux abandons et de la prolifération des populations félines, des hordes de chats peuplent les interstices laissés par l'urbanisation (terrains vagues, zones en démolition), certains lieux publics (jardins, cimetières) ou fermés (hôpitaux), tirant leur subsistance d'un environnement hautement humanisé. Ces chats « libres » (terme préféré à celui de « chats errants »), pris en charge par des associations de bénévoles ou des personnes isolées, sont nourris régulièrement, tatoués, vaccinés et stérilisés. À Rome, Paris, Venise, Genève ou Amsterdam, des amis des chats veillent ainsi à la protection des félins. L'idée n'est pas nouvelle : vers 1260, le sultan égyptien Baybars fit don aux chats du Caire d'un verger, assorti d'une rente permettant d'assurer leur nourriture, et au XIXᵉ siècle le couvent de San Lorenzo, à Florence, accueillait les chats nécessiteux.

Ces colonies* des villes, outre qu'elles contribuent à l'équilibre écologique en détruisant les rongeurs, font le bonheur des scientifiques qui disposent là d'un sujet d'étude idéal, qu'il s'agisse des chats vivant dans le centre historique de Rome ou sur les chantiers de construction navale de Portsmouth. RL

■ Chien ou chat

« Le chien se réveille trois fois pour veiller sur son maître ; le chat se réveille trois fois pour l'étrangler. » Fidélité contre fourberie : cette vieille maxime montre comment les inconditionnels du chien voient le chat. Tout le légendaire et le folklore européens sont émaillés de récits montrant l'antagonisme des deux animaux familiers. En Wallonie, on affirmait que saint Pierre en personne avait accordé le coin du feu aux chiens le jour et aux chats la nuit. Mais la malice féline eut le dernier mot, le chat empiétant peu à peu sur les heures allouées à son rival, jusqu'à l'exclure définitivement et à régner sur le foyer ; d'où le point de départ d'une querelle jamais réglée…

Cette mésentente apparemment chronique entre les deux espèces semble avoir influencé les humains (ou est-ce l'inverse ?), qui se classent volontiers dans un camp ou dans l'autre, cyno-philes ou cattophiles. Il ne semble pas qu'on puisse organi-

ser ces préférences selon les catégories sociales, mais il est clair que la relation des maîtres à leurs animaux reflète dans une bonne mesure les rapports qu'eux-mêmes entretiennent avec le monde social : contemplative et gratuite pour le chat, utilitaire et hiérarchique pour le chien. Les deux univers ne communiquent pas : « Il n'y a pas de chats policiers », déclarait Cocteau. En réalité, les antipathies entre espèces voisines, en particulier prédatrices*, semblent assez fréquentes, mais ont peu l'occasion de s'exprimer dans la nature. C'est l'homme qui, en adoptant le chien et le chat, les a fait se côtoyer sans cesse. Mais s'ils sont habitués dès leur jeune âge à cohabiter, il est bien rare qu'ils s'entendent « comme chien et chat ». RL

Domenico di Bartolo, *Moine visitant un malade* (détail), 1443. Sienne, Ospedale di Santa Maria della Scala.

« *Il [le chien] était tout : aussi dans le logis*
Ne comptait-il que des amis :
J'en excepte un matou dont il tira l'oreille
Un jour en disputant un os.
Tu peux t'attendre à pis qu'à la pareille,
Lui dit alors le chat, l'œil en feu, le cœur gros. »

Antoine Houdard de la Motte (1672-1731).

■ COLONIE

Quand on rencontre un chat en liberté, il est seul dans 80 à 85 % des cas. Sinon, il s'agit d'une mère et de ses jeunes, ou bien d'un couple. Il est rare de rencontrer des groupes de plus de trois ou quatre adultes. Ces « colonies » de chats sont constituées d'un petit nombre d'individus qui ont en général des relations de bonne tolérance mutuelle et dont les territoires se recouvrent largement.

Dans les fermes, la taille des colonies est très variable, allant de trois ou quatre individus à quinze ou vingt dans certains cas. Plusieurs petits groupes peuvent cohabiter dans une même ferme, mais les échanges entre eux sont rares et les animaux tendent à s'éviter. Les groupes sont des associations familiales de mères avec leurs jeunes, les mâles occupant plutôt des territoires individuels et circulant d'un groupe à l'autre.

La densité de population de ces chats* libres varie de 1 à 2 000 individus au kilomètre carré, ce qui témoigne de

l'extraordinaire adaptabilité de cet animal. Les densités supérieures à 50 individus au kilomètre carré s'observent uniquement dans les zones urbaines, où les chats disposent de nombreuses sources alimentaires et sont de plus nourris à des endroits fixes par des « amis des bêtes ». On rencontre des densités de 5 à 50 animaux au kilomètre carré dans les fermes, où ils sont en partie nourris par les propriétaires et où les rongeurs abondent. Les densités inférieures concernent les zones pas ou peu humanisées, où les chats ne se nourrissent que de proies sauvages dispersées dans le milieu. Outre les zones urbanisées, certaines îles abritent des chats harets, revenus à la vie sauvage après avoir été amenés par les hommes. Ils forment parfois des colonies dont la densité varie avec la quantité de nourriture disponible, et dont la prédation* pèse lourdement sur les populations des proies, des oiseaux en particulier. Ce sont des lieux privilégiés pour l'étude scientifique de l'organisation sociale spontanée de ce chat que nous ne connaissons la plupart du temps que comme un animal solitaire. GLP

▪ Cri et feulement

Le chat dispose d'un nombre élevé de vocalisations, parmi lesquelles on peut distinguer trois catégories principales selon l'origine du son : les ronronnements* et murmures, qui s'effectuent bouche fermée ; les miaulements*, au cours desquels la bouche s'ouvre puis se ferme ; enfin les cris, feulements et sifflements, caractéristiques des félins*, pendant lesquels la bouche reste ouverte et tendue.

Les cris sont d'abord émis par les chatons en état de frustration : un petit de moins de 24 heures qui rampe à la recherche d'une tétine et ne la trouve pas crie de plus en plus au fur et à mesure que dure la privation. De même, tombé du nid, et donc privé de la chaleur et des contacts maternels, le jeune se met à piailler, ce qui a pour effet de faire aussitôt accourir la mère. Les chatons sont capables d'émettre des appels par ultrasons, également utilisés par la mère pour les retrouver. Après trois semaines environ, deux cris distincts vont se différencier, l'un caractéristique de la séparation, l'autre indicateur non différencié d'angoisse, de peur. Par la suite, les jeunes crient beaucoup

moins souvent. Le feulement est une sorte de sifflement émis bouche ouverte caractérisant les situations tendues d'agression ou de menace*, juste avant l'attaque ou le coup de patte. Il est associé aux postures d'oreilles aplaties et aux dents découvertes.

Toutes ces émissions sonores n'ont pas la même valeur du point de vue de la communication. Si certaines jouent un rôle très clair, comme dans la cohésion de la dyade mère-jeune, d'autres, expression simple de peur, semblent n'avoir aucun effet sur les congénères. GLP

▪ Développement

À la naissance, les jeunes pèsent 100 à 110 grammes. Le monde du chaton nouveau-né est avant tout dominé par des sensations thermiques, tactiles* et olfactives pendant les deux premières semaines de vie, et ce n'est que vers trois semaines que la vision* jouera un rôle primordial pour guider le comportement.

L'audition* ne sera tout à fait en place que vers quatre semaines. Les dents de lait apparaissent un peu avant deux semaines et seront remplacées par la dentition définitive trois mois et

demi après la naissance. Pendant les deux premières semaines, les chatons se déplacent peu et ont une démarche lente et chaloupée. Une marche rudimentaire apparaît vers la troisième semaine, mais ils ne s'éloigneront guère du nid maternel avant un mois. À partir de la cinquième semaine, ils se lancent dans quelques brefs épisodes de course et vers sept semaines ils savent utiliser tous les éléments de la locomotion des adultes, à l'exception toutefois de certaines tâches complexes, comme cheminer et se retourner sur un passage très étroit, qui ne seront tout à fait maîtrisées que vers onze semaines.

Les jeux* sociaux ne deviennent fréquents que vers quatre semaines et resteront très importants jusque vers douze à quatorze semaines. L'intérêt pour des jouets inanimés n'apparaît que vers sept à huit semaines. Le développement d'un animal est complexe et difficilement prévisible. La mise en place des aptitudes à la prédation*, par exemple, sera influencée par de nombreux paramètres : la fréquence des compétitions dans la portée, la vue de la mère en action, l'observation des congénères. En revanche, le jeu avec des objets ou des proies mortes ne semble pas contribuer à aiguiser son habileté.

Les préférences pour telle ou telle proie se construisent aussi pendant le maternage*, principalement par imitation de la mère. C'est sans doute à cette grande sensibilité aux événements vécus pendant son développement que le chat doit sa capacité d'adaptation à des milieux très variés. C'est sans doute aussi là qu'il faut voir les origines de la très grande diversité de personnalités* rencontrées chez les chats. GLP

Chatte et chatons balinais.

◼ DOMESTICATION
Des débuts controversés

La domestication du chat, terme qui sous-entend le contrôle de la nourriture et de la reproduction, est encore l'un des nombreux mystères qui entourent ses origines. Jusqu'à présent, les plus anciens ossements, découverts sur les sites de Jéricho, en Palestine (6700 av. J.-C.), d'Harappa, dans la vallée de l'Indus (2000 av. J.-C.), ainsi qu'à Chypre (5000 av. J.-C.), ne permettent pas d'affirmer la domesticité, déterminée par l'indice crânien, plus important chez le sujet domestiqué (voir Systématique). Peut-être ne s'agissait-il là que de « visiteurs sauvages » ?

Paléontologues et historiens en sont réduits aux suppositions : le chat a-t-il été domestiqué pour la première fois en Perse ou au Pakistan ? En Chine, dans la province du Henan (2160 av. J.-C.) ? Devons-nous cette domestication aux Égyptiens de la Vᵉ dynastie (v. 2500 av. J.-C.), comme semble l'attester une effigie de chat portant un collier, figurant dans un tombeau de Saqqarah ? Les chercheurs semblent aujourd'hui s'accorder sur l'existence de plusieurs foyers simultanés de domestication répartis sur divers continents. En revanche, le processus de domestication lui-même ne fait pas l'unanimité. Pour certains auteurs, les chats se seraient domestiqués spontanément, dans l'ancienne Égypte*, attirés par les rongeurs vivant près des réserves de grain. Mais il est difficile de penser qu'un peuple ayant vénéré des singes, des hyènes, des lions, des crocodiles et divers ongulés sauvages ne se soit pas intéressé de très près à des animaux aussi communs que les chats. Élevés surtout comme divinités, ils ont sans doute d'abord été sélectionnés plus pour leur docilité et leur sociabilité que pour leurs talents de chasseurs*, même si ceux-ci étaient appréciés. Leur exportation étant interdite, l'introduction* des chats ne s'est faite que lentement dans le Bassin méditerranéen puis dans toute l'Europe. RL

Athénien tenant un chat en laisse.
Relief attique, v. 510 av. J.-C. Athènes, musée national d'Archéologie.

Sarcophage en bois contenant la momie d'un chat. Turin, Musée égyptien.

miaulement (voir Noms du chat), puis *techau*, le chat apparaît comme un animal domestiqué dès la Ve dynastie (effigie d'un chat portant un collier; tombe de Ti, Saqqarah), puis familier dès la XIe dynastie (v. 2100 av. J.-C.), où l'on voit la mère d'un haut fonctionnaire de la cour surnommée « la Chatte ». Les fresques des tombes thébaines de la XVIIIe dynastie nous montrent l'importance prise par le chat dans la vie quotidienne des Égyptiens. C'est un chat mangeant un poisson* dans une écuelle placée

■ **Eau.** Voir Lait

■ **Égypte**

Sans l'estime et la vénération dont il fut l'objet dans l'Égypte pharaonique, le chat n'aurait sans doute pas projeté à travers l'Occident médiéval cette aura d'inquiétude qui fut le lot des dieux païens, et peut-être ne jouirait-il pas de nos jours du prestige qui est le sien, celui d'une divinité venue d'Orient pour partager notre vie quotidienne…

Si nous manquons d'éléments, il est toutefois loisible de comprendre que les Égyptiens eurent du chat une connaissance étonnement moderne, comme en témoignent la symbolique dont l'animal fut entouré, la richesse de l'iconographie et de la statuaire qui lui furent consacrées. Nommé *myeou*, d'après une onomatopée imitant le

sous le siège de la femme du scribe Nakht; une scène de chasse dans les marais où un chat saisit un canard tandis qu'un homme vise un oiseau (tombe de Nebamon).

Divinité androgyne, à la fois solaire et lunaire (car ses yeux* voyant dans les ténèbres supportaient l'éclat de l'astre du jour), le chat fut vénéré sous les doubles traits de Bastet*, la Chatte sacrée, et du Grand Matou ou Chat-Lumière, protecteur de la barque solaire. On comprend pourquoi le chat, hôte des maisons et des temples, investi de si grands pouvoirs, était protégé, nourri, traité avec tous les égards, pleuré par la famille à sa mort*, puis embaumé, momifié et enfoui dans une des nécropoles réservées aux enfants de Bastet. RL

■ Élevage

La perspective de deux portées par an est un encouragement à la pratique de l'élevage des chats. Les jeunes ne demandent pas de soins particuliers : la chatte, à la fois très indépendante* et très maternelle, s'occupe de tout. C'est pourquoi beaucoup de propriétaires fabriquent eux-mêmes des générations de chats qui ne tardent pas à proliférer... Faire profession d'éleveur est une autre entreprise, rarement très lucrative, à moins qu'elle ne concerne des races* difficiles à produire et très prisées.

L'élevage du chat à des fins d'expérimentation* scientifique est plus délicat. Il requiert une surveillance sanitaire rigoureuse, car les résultats obtenus chez un animal en mauvaise santé pourront difficilement être comparés avec ceux d'un sujet sain.

Pendant très longtemps, la plupart des chats utilisés provenaient de fourrières, voire de prélèvements « sauvages ». Si ce moyen était peu onéreux, il en résultait toutefois un risque important d'introduction de maladies*. Aujourd'hui, les chercheurs ont essentiellement recours à des fournisseurs agréés grâce

auxquels ils disposent de populations saines et homogènes.

Les chats de laboratoire peuvent être élevés en groupe pourvu qu'ils disposent d'un espace suffisant pour leur bien*-être et puissent se tenir à bonne distance de leurs congénères s'ils le souhaitent. GLP

■ Errant. Voir Chats libres

■ Expérimentation

L'utilisation des chats, animaux de compagnie, aux fins d'expériences est une pratique qui soulève bien des protestations. Plus un animal nous est cher et familier, et moins nous supportons l'idée de le faire souffrir. C'est pourquoi les associations qui s'opposent à l'expérimentation animale exhibent volontiers des photos de chats ou de chiens le crâne hérissé d'électrodes, plutôt que des images de souris. 90 % des animaux utilisés dans les laboratoires sont pourtant des rongeurs, contre à peine 2 % de chats.

S'il est relativement facile d'habituer un chien à recevoir une injection ou à supporter un prélèvement de sang, il est très rare qu'un chat se laisse faire docilement. Son élevage* requiert en outre beaucoup de précautions. Aussi les chercheurs ne l'utilisent-ils que s'ils n'ont pas d'autre solution. Le recours au chat comme animal d'expérience tient à deux raisons principales : d'une part, l'obligation faite aux industriels de tester sur des espèces diversifiées les effets ou la toxicité des produits qui nous sont destinés (médicaments, cosmétiques) ; d'autre part, certaines particularités physiologiques qui font de lui un sujet d'étude privilégié. Sa vision* bien développée lui a valu ainsi de jouer un rôle central dans la recherche fondamentale sur le système visuel des mammifères. Grand dormeur, il est également tout indiqué pour les travaux concernant le sommeil*. Dans le domaine médical, enfin, il est

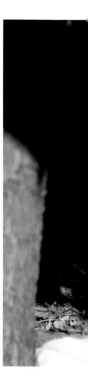

aujourd'hui très précieux pour les recherches sur le sida* car il est sensible à un virus très proche de celui qui infecte notre espèce. GLP

▍ Faiseur de pluie

Parmi les croyances populaires les plus répandues, il est dit (dès le XVe siècle dans les *Évangiles des quenouilles*) qu'un chat qui passe sa patte derrière l'oreille annonce la pluie. Qu'il s'agisse là d'une des phases classiques de la toilette* féline ne change rien à l'affaire. Les Cambodgiens, jadis, avaient pour coutume de promener à travers champs un chat enfermé dans une cage, en l'arrosant d'eau ; ses miaulements étaient censés émouvoir Indra, qui dispensait alors la pluie nécessaire à l'obtention d'une bonne récolte. Associé en Europe aux rites agraires, le chat fut parfois fêté, souvent sacri-

fié*, en vue de fertiliser la terre et d'assurer la croissance du blé. Les diverses postures adoptées par le chat à l'intérieur de la maison ont donné lieu à tout un code météorologique – quelque peu fantaisiste. Ainsi, un chat nerveux annonce le vent, un chat qui griffe le sol l'orage ou la tempête ; l'éternuement est signe de pluie, le ronronnement* de beau temps ; si l'animal se rapproche du foyer ou du radiateur, le froid est attendu – et même la neige s'il présente son postérieur à la source de chaleur ! Fantaisie et vérité se donnent la main : par sa grande sensibilité à l'augmentation de la charge d'électricité statique et aux variations du champ magnétique, le chat possède effectivement une sorte de sixième* sens et peut pressentir orages, cyclones, tremblements de terre ou éruptions volcaniques. RL

■ FÉLIN
Douceur et violence

Les félins, ou famille des Félidés, sont tous de remarquables chasseurs. Ils sont généralement de taille grande ou moyenne, le chat domestique étant parmi les plus petits. Ce sont des animaux souples et agiles, servis par des pattes puissantes, trapues, permettant une course rapide et des bonds impressionnants. Excepté le guépard, ils ont tous des griffes* qui se rétractent pendant la marche ou la course. Certains se perchent souvent et mènent une vie quasi arboricole. Presque tous chassent la nuit et tuent plus qu'ils ne consomment. Leur tête ronde à petites oreilles, leurs grands yeux* à pupille fendue, évoquent la douceur, la tendresse. Mais dès qu'ils découvrent les dents, ils révèlent de longues canines légèrement arquées et de puissantes carnassières. Tous portent cette ambivalence de douceur et de violence qui les rend si fascinants.

Hormis le lion, les félins ont un tempérament plutôt solitaire. Le chat Iriomote, un cousin du léopard qui a été relativement bien étudié dans son milieu naturel,

a conservé dans ses comportements nombre de traits primitifs : ce sont des animaux territoriaux que l'on ne peut rencontrer à deux qu'au moment des accouplements, tout comme notre chat* sauvage européen. Les chats des déserts d'Afrique du Nord, dont la systématique* est complexe, vivent aussi très séparés, sur des territoires* bien établis. Le lynx semble toutefois capable de former des liens un peu plus durables entre mâles et femelles. L'occupation de l'espace par le léopard et le tigre en Inde ou au Bengale est très semblable : les mâles ont des territoires dont chacun recouvre celui de plusieurs femelles. Le tigre est solitaire, certes, mais pas asocial. On sait très peu de choses sur le puma. En revanche, la structure sociale du lion est l'une des mieux connues et apparaît très dépendante des conditions écologiques. Cette diversité d'organisation* sociale selon le milieu se retrouve chez le chat domestique, encore exacerbée.

Pour autant qu'on ait pu les étudier dans la nature, les félins semblent présenter entre eux d'assez bonnes ressemblances dans le comportement. Par exemple ils utilisent de la même manière les roulades*, les frottements* ou les piétinements*, tant dans leurs relations à la mère que dans le jeu* ou la parade sexuelle. Mais ils restent encore bien mal connus pour la plupart, car très difficiles à observer. Certains, comme le tigre, ont été tellement chassés qu'ils sont devenus très craintifs. Les petits félins d'Afrique évitent les hommes et sont totalement nocturnes. Le paisible lion du Serengeti (Tanzanie) est une véritable chance pour notre connaissance des félins sauvages. GLP

▓ Féminité, félinité

Si la chatte se métamorphose en femme chez Ésope et La Fontaine, la réciproque est vraie depuis l'époque où la reine Cléopâtre elle-même – après d'autres élégantes Égyptiennes – tentait d'accorder son physique particulier aux canons félins édictés par Bastet*.

Beauté, rondeur des formes, élégance, grâce, souplesse, démarche et regard « félins » : tous compliments qui s'adressent aussi bien à la femme qu'à la chatte, et part avouable d'un discours flatteur dont la zone d'ombre est la sexualité*, débridée chez l'animal. Signe de fécondité pour les Égyptiens et les Gréco-Romains qui associèrent la chatte aux déesses-mères ; motif de honte et d'opprobre pour l'Occident chrétien qui condamnera et moquera les femmes de mœurs légères : le *charivari* était un tapage organisé (avec un chat qui passait symboliquement de main en main) sous les fenêtres des veuves trop vite remariées.

Le lexique, jouant sur la comparaison fourrure/pilosité et le jeu de mots entre chat et chas, nomme « chat », « chatte » ou « chatière » le sexe féminin. Certaines expressions régionales anciennes témoignent aussi de cette fusion. « Comme il aime son chat, il aime sa femme », disait-on d'un mari empressé. « Laisser aller le chat au fromage » signifiait accorder son pucelage. Refuser les avances d'un homme, c'était lui « donner son chat pour en compter les poils ». Dans cette perspective, l'expression « donner sa langue au chat » (renoncer à deviner la solution d'une énigme) se teinte d'une équivoque entretenue par bon nombre de comptines et chansons comme *La Bergère* ou *La Mère Michel*... RL

■ Feulement. Voir Cri

« *Elle jouait avec sa chatte*
Et c'était merveille de voir
La main blanche et la blanche patte
S'ébattre dans l'ombre du soir. »

Paul Verlaine, *Femme et chatte*
in *Poèmes saturniens*, 1866.

Colette jouant *La Chatte amoureuse* au Ba-Ta-Clan, 1912.

Le Lynx. Couverture d'un cahier d'histoire naturelle.

■ FROTTEMENTS

Nicolas Bernard Lépicié
Le Lever de Fanchon
1773. H/t, 74 × 93
Saint-Omer, musée de l'hôtel Sandelin

I est fréquent de voir un chat se frotter la face contre le coin d'un meuble, contre un congénère ou contre la jambe de son propriétaire, ou bien passer sous une chaise en redressant la queue* de sorte qu'elle s'y frotte.

Depuis que Prescott, en 1970, a suggéré qu'il pouvait s'agir d'un comportement de marquage*, on a découvert que l'espace entre les oreilles et les yeux, les lèvres, le menton et le haut de la queue sont richement pourvus de glandes produisant des sécrétions grasses et odorantes.

Les frottements font partie des comportements de prise de contact, d'approche amicale d'un congénère ou d'un humain. La mère, quand elle retourne au nid après en être restée éloignée un moment, se frotte contre les jeunes. Plus tard, lors des parades

sexuelles, apparaissent des frotte-ments plus violents, révélant la forte tension qui accompagne les ren-contres.

L'observation des chats vivant en colonies* montre que les frottements entre chats familiers sont fréquents mais semblent surtout orientés d'un animal dominé vers un dominant. Si tous les animaux se frottent de temps en temps les uns aux autres, chacun doit posséder un mélange d'odeurs caractéristique du groupe, qui peut ensuite être utilisé pour une recon-naissance rapide de l'appartenance d'un congénère, en particulier lors d'une rencontre nocturne.

Les frottements jouent donc un rôle certain dans la communication. Mais ce qui pousse un chat à se frotter contre son propriétaire reste un mys-tère. GLP

Chats sphinx.

■ Génétique

On connaît aujourd'hui quelques gènes, en particulier parmi ceux impliqués dans la coloration et la longueur du pelage*, qui permettent d'évaluer la diversité génétique dans les populations de chats se reproduisant librement. De ce point de vue, et comme pour la plupart des autres mammifères, la comparaison de populations naturelles éloignées, dans des régions ou des pays différents, révèle une tendance à former des clades, c'est-à-dire des groupes présentant une évolution génétique autonome, particulière, et se mélangeant peu.

Bien que les animaux vivent en colonies* assez fermées, la consanguinité semble peu élevée dans les groupes naturels de

Chaton de l'île de Man.

chats. La contribution des mâles périphériques suffit à maintenir une bonne diversité. Les effets des croisements entre chats apparentés sont mal connus, mais il semble que la longévité* en particulier soit affectée.

Si le chat a sans doute été apprécié de longue date pour ses compétences de chasseur* de rats, l'homme n'a guère orienté sa reproduction. La sélection volontaire du chat domestique est très récente, et remonte seulement à la seconde moitié du XIXe siècle, ce qui explique que les races* de chats ne soient pas aussi diversifiées que celles des chiens par exemple. Mais les éleveurs ont déjà isolé et répandu quelques bizarreries comme des chats sans queue (les manx) ou au poil si ras qu'ils paraissent nus (les sphinx). GLP

■ Gestation et allaitement

Un changement de comportement important a lieu vers les deux tiers de la grossesse : l'agilité diminue beaucoup, l'activité baisse et la chatte a meilleur appétit. La semaine précédant la mise bas, elle se met à la recherche du « nid », un endroit sûr et discret, à l'abri des importuns. En élevage*, il faut veiller à ce que les chattes aient accès à une cage spéciale où elles seront enfermées pour la nuit et une partie de la journée. L'alimentation doit être suffisamment riche, aussi bien pendant la fin de la gestation que pendant l'allaitement, sous peine de voir les jeunes atteints de troubles neurologiques parfois irréversibles.

Pendant cette période, la chatte passe beaucoup de temps à se lécher, en particulier les

mamelles et la région périnéale. Elle devient souvent irritable, méfiante, et miaule sans arrêt.

La naissance des jeunes survient en moyenne 65 jours après la fécondation. Les chatons se glissent aussitôt le long du ventre de la mère, à la recherche d'une tétine. Alors que sa portée ne comprend en moyenne que quatre à cinq jeunes, la chatte est pourvue de huit mamelles, dont six seulement sont fonctionnelles. Dès les premières heures, une compétition s'installe pour l'occupation des tétines. Certains jeunes se fixeront sur l'une d'elles, alors que d'autres n'ont pas de préférence marquée.

La chatte allaite debout et immobile, ou, le plus souvent, couchée sur le flanc. Ces positions, qui soulagent la douleur engendrée par les montées de lait, sont aussi les plus commodes pour les chatons. Mais inversement, si une chatte choisit d'adopter des poses moins adéquates, il est difficile de déterminer si c'est par manque de lait, par absence de douleurs mammaires ou par défaut d'attachement aux jeunes.

À l'approche du sevrage*, la mère se tient souvent accroupie ou couchée à plat ventre, de sorte que ses tétines ne sont plus accessibles. Les tentatives des jeunes pour les atteindre seront alors mal accueillies. Ce comportement, d'autant plus net que la portée est nombreuse, peut être dû à un manque de lait, ainsi qu'à l'inconfort lié à la pousse des petites dents pointues. GLP

■ Griffes

Toute la dualité du tempérament du félin*, tantôt cruel tantôt câlin, s'exprime par cette faculté qu'il a de sortir ses griffes à volonté, menaçant « toutes griffes dehors » ou caressant à « patte de velours ».

Commandée par des tendons puissants, la griffe vient au repos se ranger dans un repli de la peau qui lui sert de gaine. Homologue de l'ongle, cette partie cornée de l'extrémité du doigt pousse continuellement. Pour limiter cette croissance, les chats vivant en liberté usent leurs griffes sur des troncs d'arbres, des roches et autres surfaces rugueuses. En appartement, l'animal doit se rabattre sur les sofas, les tapis, les portes, ce qui amène parfois certains propriétaires à le priver purement et simplement de ces précieux instruments de défense et de préhension…

Cette activité peut également relever d'un comportement de

marquage*, par le frottement des coussinets plantaires contre le substrat.

Il arrive qu'un chat dominant sorte ostensiblement les griffes de ses pattes avant devant un subordonné. Cela semble alors témoigner de son assurance. Mais les petits coups de griffes arrivent aussi au cours des roulades* des femelles en chaleur ou encore lors des séquences de jeu*. Chez certains sujets humains, les griffures de chat peuvent être responsables d'une infection inflammatoire appelée « lymphoréticulose bénigne d'inoculation », ou « maladie des griffes du chat », avec parfois des formes sévères entraînant un développement important des ganglions lymphatiques, voire, dans certains cas, des encéphalopathies. C'est pourquoi il est très important de soigner toujours très vite une morsure ou une griffure de chat. GLP

■ Haret. Voir Colonie.

■ GRIMPER, SAUTER : LES MAÎTRES DE L'ÉQUILIBRE

Le chat doit sa très grande souplesse à des particularités anatomiques. Sa colonne vertébrale étant extrêmement mobile, il peut tout aussi bien faire le « gros dos » ou tourner l'avant du corps dans la même direction que l'arrière. En outre, les vertèbres cervicales ont une forme particulière donnant à la tête une grande liberté de mouvement. Enfin, une clavicule très réduite et une poitrine étroite lui permettent de rapprocher les pattes antérieures lors de la marche, l'autorisant à déambuler sur les passages les plus étroits.

S'il est capable de courir très vite, propulsé par des pattes arrière puissantes, la course le fatigue rapidement. L'affût suivi d'un bond lui convient mieux, pour attraper ses proies, que la poursuite. Pour « faire le mur », le chat peut sauter jusqu'à cinq fois sa hauteur. S'il s'y prend bien, il doit arriver plus haut que la surface à atteindre ; sinon, il tente tout de même de grimper par de grands mouvements des pattes. Surpris, il peut sursauter en bondissant sur ses quatre pattes en même temps. Le chat semble souvent grimper par plaisir, sur les arbres ou les poteaux. Mais si des griffes recourbées vers l'arrière sont utiles pour la montée, elles ne sont d'aucun secours pour la descente. Perché trop haut, le chat s'immobilise en attendant qu'on vienne le chercher. Et c'est bien mieux ainsi car même avec un excellent sens de l'équilibre (voir Retournement), il ne peut tomber de n'importe quelle hauteur. GLP

■ HIÉRARCHIE

Les études concernant la hiérarchie chez les chats proviennent en partie de l'observation d'animaux vivant en colonies* et en partie de situations expérimentales réalisées en laboratoire. Même s'ils sont très solitaires, les chats connaissent, avec les soins maternels, une phase de vie sociale obligée, pendant laquelle une certaine hiérarchie s'établit doucement entre les chatons. Lors de l'allaitement*, la compétition pour les tétines les plus généreuses commence avant même que les yeux soient ouverts, et le plus fort, souvent le premier né, y réussira le mieux. Cette différence se maintiendra jusqu'à six ou huit mois. Quand plusieurs chats vivent ensemble, dans un élevage* ou chez leur propriétaire, les animaux du sommet de la hiérarchie se distinguent sans mal : ils occupent les meilleures places pour dormir et sont généralement prioritaires autour de la mangeoire. Si le groupe dispose de deux mangeoires, il n'est pas rare de voir le dominant seul à l'une tandis que les autres se partagent la seconde. Dans un groupe artificiel, la dominance, quand elle existe, est largement influencée par la personnalité* de chaque animal.

Dans les groupes de chats* libres, la règle est la vie solitaire, réduisant les contacts au minimum. Il devient alors très difficile de parler de hiérarchie. Les contacts s'organisent essentiellement entre femelles et sont presque exclusivement amicaux, puisque même le maternage* est souvent communautaire. Territoriaux, les mâles ne développent pas de rapports stables entre eux. Toutefois, l'abondance de nourriture dans les grands

centres urbains amène des concentrations d'animaux entre lesquels la cohabitation forcée engendre l'établissement de relations durables. Elles sont très difficiles à observer, car extrêmement discrètes et fugaces, sauf à la période des chaleurs des femelles. Une étude menée il y a quelques années dans une colonie de chats harets du centre de Rome a révélé que chaque zone était dominée par un mâle central, lequel engendrait des postures de soumission et des évitements de la part des sujets périphériques. Les comportements de menace* des matous entre eux étaient très rarement suivis de combats ou de fuites, le chat menacé se contentant de rester à l'écart. Cette hiérarchie ne correspondait à aucune priorité pour les accouplements, certains mâles « de passage » parvenant à s'accoupler autant, même parfois plus que le dominant. GLP

■ Indépendance

Si le chien* procure à son maître de nombreuses marques d'obéissance et de soumission, le chat n'en fait qu'à sa tête. Si le chien est paniqué par la disparition de son maître et semble incapable de se passer des hommes, le chat ne paraît pas s'en émouvoir. Ce n'est sans doute pas un hasard si l'on parle de « maître » pour un chien et plutôt de « propriétaire » pour un chat.

Bien qu'il existe de fortes différences de personnalité* d'un chat à l'autre, l'indépendance est une de leurs caractéristiques communes : escapades, fugues périodiques… Il n'est pas rare de pouvoir affirmer qu'un chat a choisi son propriétaire : si la maison ne lui convient pas, il ne faut pas s'attendre à ce qu'il y reste longtemps.

Dans leurs relations entre eux, les chats sont également très indépendants. Rien n'est moins fidèle qu'une chatte. Quant aux matous, si certains peuvent s'attacher pendant plusieurs années à un territoire, ils connaissent d'abord une longue période très erratique et sont aussi très opportunistes dans leurs amitiés. Même en matière de relations sexuelles, on a pu observer que dans des communautés libres, alors que les chattes s'accouplent avec de nombreux mâles différents, les matous, même dominants, ne font rien pour s'accaparer ou monopoliser les femelles avec lesquelles ils sont parvenus à s'accoupler. GLP

■ Infanticide et cannibalisme

S'il est relativement fréquent chez les lapines ou les chiennes, l'infanticide est très rare chez les chattes, réputées « bonnes

Photographie de Paul Fusco.

mères » (voir Maternage). Dans les minutes qui suivent la naissance, il peut toutefois arriver que la mère mange l'enveloppe qui entourait les fœtus et… enchaîne avec les petits. Mais il est probable que ceux-ci étaient mort-nés. On a vu également, dans une même portée, un ou deux sujets particulièrement faibles qui, un beau matin, avaient disparu, mangés par la mère. Là encore, il est délicat de parler d'infanticide, car la chatte s'est sans doute conten-

tée de les laisser mourir. Les matous, en revanche, ont la réputation d'être de dangereux tueurs de bébés. Hérodote suggérait déjà, en 424 av. J.-C., que ce comportement avait pour but d'accélérer le retour des chaleurs chez les femelles. Il est peu probable que les chats soient physiologistes et calculateurs à ce point, d'autant que ces infanticides sont en général perpétrés par des chats extérieurs à la colonie*, qui n'ont donc guère de chances de par-

venir à s'accoupler avec les mères des victimes. Plus simplement, il faut se souvenir que les chats sont des prédateurs* et les petits chatons des proies faciles. Des femelles étrangères à la colonie peuvent d'ailleurs aussi « se servir » en passant. Mais le plus souvent, l'élevage collectif des jeunes par plusieurs femelles constitue une excellente protection puisque les bébés ne restent quasiment jamais seuls, les mères partant se nourrir à tour de rôle. GLP

■ INTELLIGENCE
Les capacités d'un prédateur

Parfois maladroitement employée pour l'opposer au terme d'« instinct », la notion d'intelligence fait ici référence aux capacités d'apprentissage et de représentation abstraite du chat. Les mammifères carnivores ont été les premiers à servir de sujets d'expériences dans les travaux sur l'apprentissage animal : le psychologue Thorndike utilisa des chats en 1911 et le physiologiste Pavlov, en 1927, étudia le conditionnement du réflexe de salivation chez le chien. Les rongeurs, moins encombrants, et les primates, plus proches de nous, ont par la suite monopolisé les laboratoires.

Le chat est lui aussi sensible au conditionnement pavlovien. Ainsi, alors qu'il s'est habitué à un bruit au point de ne plus tendre l'oreille quand il survient, il y prête à nouveau attention dès lors que ce bruit a été systématiquement associé à une sensa-

tion désagréable comme un souffle d'air, preuve que sa réponse est désormais couplée à un nouveau stimulus.

Mais le chat est capable d'apprentissages bien plus complexes, par exemple pour atteindre une récompense alimentaire. Il apprend rapidement à choisir la bonne allée d'un labyrinthe à plusieurs branches si elle est signalée par une couleur ou une forme particulière. Mieux, il est capable de discriminer une figure originale dans un ensemble : si la bonne solution est indiquée par une croix parmi plusieurs cercles, puis par un cercle parmi plusieurs carrés, il sait trouver l'« intrus ». Quand il a été confronté à ce type d'apprentissage, il est ensuite capable d'adapter rapidement son savoir à des tâches nouvelles. Dans d'autres expériences, c'est l'apprentissage d'une règle simple qui va permettre à l'animal de trouver la récompense : il doit découvrir qu'entre deux cachettes possibles, la nourriture se trouve en alternance une fois à droite puis une fois à gauche. Comme tous les prédateurs*, le chat est souvent confronté au problème de retrouver une proie qui disparaît. Cela nécessite une faculté particulière, liée à ce que Piaget a appelé la « permanence de l'objet » (un objet ne cesse pas d'exister s'il est caché au regard). Divers travaux ont montré que les chats, dans une certaine mesure, possèdent cette faculté. Mais si la « proie » est à la fois masquée et déplacée, le chat surveillera uniquement l'endroit où il l'a vue disparaître et n'aura pas idée de la chercher ailleurs.

D'une façon générale, les compétences de chaque animal seront très influencées par l'expérience accumulée pendant le jeune âge, en particulier au cours du jeu*. GLP

Introduction

Hérodote nous apprend dans ses *Histoires* (v. 500 av. J.-C.) comment les Grecs, qui ignoraient le chat domestique et utilisaient belettes, putois et furets pour se débarrasser des rongeurs, en firent la découverte sur le sol égyptien et voulurent s'en approprier le plus grand nombre : ainsi commença l'importation sauvage du chat vers l'Europe, par le biais de rapts, sévèrement réprimés en cas d'échec, le vol de ces animaux sacrés étant passible de mort. Transportés par bateau,

chasseur* du chat de Syrie explique son importation à Venise et sa diffusion en Italie. Dans le cas du chartreux (sans doute originaire d'Iran), il s'agit de la texture de son pelage*, recherché par les pelletiers.

C'est la beauté de l'angora turc – et de son descendant direct, le persan – qui pousse l'Italien Pietro della Valle à l'introduire en Europe (1650). En 1789, Linné livre le premier inventaire des races* félines. La première exposition organisée à Londres en 1871, au Crystal

les chats d'Égypte* et d'Afrique du Nord essaimèrent vers la Grèce et Rome. Les Phéniciens en firent à leur tour l'objet d'un fructueux commerce, tandis que les légionnaires romains contribuaient, notamment par bateau, via Marseille, le Rhône et la Saône, à l'implantation du chat domestique en Gaule et dans les îles Britanniques. L'intérêt pour les qualités de

Palace, correspond à l'introduction sous nos latitudes de l'abyssin, du siamois et de l'oriental.

La création de clubs et d'associations (voir p. 116), le développement de la félinotechnie ont généralisé la circulation à travers le monde d'autres races anciennes (bleu russe, bobtail japonais) et nouvelles, au gré des engouements et des modes. RL

Otto Venius,
Otto Venius et sa famille, 1584.
H/t 176 × 250.
Paris, Louvre.

Bien que sa manifestation soit souvent évidente, le jeu chez l'animal est bien difficile à définir, car tout le répertoire comportemental y est investi, qu'il s'agisse du répertoire social comme les frottements*, les piétinements*, les coups de patte, les morsures ou la menace*, du répertoire plus spécifiquement sexuel comme les roulades* ou les montes, ou des comportements de prédation* comme les poursuites, les captures* ou les transports d'objets. À la différence des autres comportements, la caractéristique essentielle du jeu est sans doute de ne pas être orienté vers un but précis, vers un acte consommatoire stoppant net l'activité. Les premières activités « gratuites » se manifestent chez le tout jeune chaton par le piétinement du ventre de sa mère pendant ou juste après la tétée. Les mouvements des pattes vont se diversifier très vite et seront associés aux roulades, qu'ils accompagnent sous forme de grands coups de pagaie dans le vide. Au bout de quelques jours, lorsqu'ils sont éveillés mais pas affamés, les chatons jouent à piétiner la mère et les congénères. Puis, au cours de la quatrième semaine, les griffes* s'en mêlent et la caresse tout d'un coup se cramponne. Dans le même temps, les jeux vont expérimenter la dimension verticale : inlassablement, le chaton se dresse, grimpe sur sa mère, saute sur son dos. Les jeux avec les congénères sont d'abord peu différenciés et concernent tout le corps. Ils se raffinent ensuite pour s'intéresser particulièrement aux oreilles, au cou, à la queue*.

Il est certain que ces activités sont de première importance pour la construction de l'animal. Elles participent à la maturation des coordinations motrices, au développement de la précision des mouvements, et permettent au jeune animal d'expérimenter les réactions de ses congénères. C'est à ces occasions qu'il va apprendre à contrôler ses morsures, ou à rentrer ses griffes à temps s'il ne veut pas être agressé en retour.

Le jeu avec des objets inanimés n'apparaît qu'un peu plus tard, vers la cinquième semaine. Il augmente notablement vers la fin du sevrage* et semble fonctionner comme un indicateur d'indépendance par rapport au milieu maternel, un signe de la capacité à utiliser un espace non spécifique, non peuplé de chats.

Tant chez les mâles que chez les femelles, on observe une baisse significative des activités ludiques entre douze et seize semaines. Mais le chat restera longtemps capable de se précipiter vers un arbre et d'y grimper* pour le simple plaisir de jouer à chat perché… GLP

Photographie de
Josef Koudelka.

■ Lait, poisson, eau

Trois mots immédiatement associés au chat. Selon Diodore de Sicile (Ier siècle av. J.-C.), les chats de Bubastis étaient nourris de pain trempé dans du lait et de poissons pêchés dans l'eau du Nil. Dans un tombeau égyptien (1600 av. J.-C.), les ossements de dix-sept chats ont été découverts, accompagnés de petits pots utilisés pour leur servir du lait. À partir de 1600 av. J.-C., quand les représentations de chats se font plus abondantes, ils sont figurés au pied de leur maître, jouant ou mangeant du poisson.

Le lait, première substance ingérée par le chaton et aliment de base de l'animal pendant des siècles, renvoie aux origines paysannes du chat, hôte des fermes et des étables dans lesquelles il trouvait, à l'heure de la traite, de quoi se rassasier. En réalité, le chat digère très mal le lait de vache, et les règles modernes de diététique féline le déconseillent fortement.

Selon les traditions populaires bretonnes, le chat, jadis porteur de cornes, les aurait échangées contre du poisson cru. « Le chat aime le poisson mais répugne à se mouiller les pattes », dit-on en France, en Grande-Bretagne, en Italie et en Finlande, dans un proverbe qui, s'il précise le goût du chat pour la chair du poisson, met en avant l'horreur de l'élément liquide et, implicitement, la paresse de l'animal. Vérité ou lieu commun ? C'est oublier un peu vite le prodigieux talent de pêcheur du chat qui, instinctivement, utilise de ses pattes antérieures en « cuillère » pour projeter le poisson hors de l'eau, sans hésiter à se mouiller : probable héritage génétique* de ses aïeux sauvages ou harets*.

Le chat, faible consommateur d'eau, n'est pas aussi hostile qu'on le dit à l'égard d'un élément qui le fascine. De nombreux chats jouent volontiers à passer une patte, voire la tête et tout le corps, sous un robinet ouvert, dans la cuisine ou la salle de bains. Quant au chat turc du lac de Van, habitué *in situ* à nager et à pêcher, il conserve cet acquis génétique même lorsqu'il est élevé loin de son pays d'origine et à l'intérieur d'une maison. RL

▨ Littérature

Parce qu'il est une énigme qui, de toute évidence, sollicite l'imagination de l'écrivain, parce qu'il symbolise à merveille la liberté et l'indépendance*, parce que, réciproquement, l'animal apprécie la compagnie silencieuse et calme de l'artiste au travail, chat et littérature ne pouvaient manquer de faire bon ménage. Aucun autre animal, en effet, ne peut se vanter d'avoir inspiré une telle somme de textes.

Parmi les premiers chefs-d'œuvre mettant en scène *Felis catus*, il faut citer le *Roman de Renart* (XIIᵉ-XIIIᵉ siècles), où sévit le fourbe Tybert, et *La Gatomachie* (1634) de Lope de Vega, parodie d'Homère. Particulièrement riche au registre des contes, avec *Le Chat* botté de Perrault (1697) et *La Chatte blanche* de Mᵐᵉ d'Aulnoy (1698). Plus tard, dans *Alice au pays des merveilles* (1865), Lewis Carroll immortalisera le sourire suspendu du chat de Chester. Dans bon nombre d'œuvres, le chat n'hésite pas à prendre la parole : *Le Chat Murr* d'E.T.A. Hoffmann (1822), *Je suis un chat* de Natsume Soseki (1905), et bien sûr *Sept dialogues de bêtes* de Colette (1905). Une place à part doit encore être faite pour trois regards d'écrivains à l'occasion historiens du chat : *Histoire des chats* de François-Augustin Paradis de Moncrif (1727), première réhabilitation de l'animal à la manière des *Lettres persanes*; *Les Chats* de Champfleury (1869), érudit et chaleureux, tout comme *Sa Majesté le chat*

Illustration pour un conte d'Hoffmann, *Histoire du prince Casse-Noisette et du Roi des souris*, v. 1860-1870. Paris, Bibliothèque nationale de France.

de Louis Nucera (1992). Le chat est un canevas offrant aux auteurs l'occasion de rayonner dans des genres aussi divers que réalisme, fantastique (*Le Chat noir*, Edgar Poe, 1845), parodie des mœurs humaines (*Peines de cœur d'une chatte anglaise*, Balzac, 1842), interrogation sur la vie et la mort (*Vies de deux chattes*, Pierre Loti, 1891). Animal maudit et rebelle, il sera l'incarnation même du poète* romantique. RL

▨ Longévité

La vie sauvage est pleine de risques et affecte grandement l'espérance de vie : alors qu'un chat protégé par l'homme ne commence à vieillir sérieusement que vers huit ans, un chat haret* n'a quasiment aucune chance d'atteindre cet âge canonique. La moyenne d'âge des chats errants* est de deux ans seulement, et leur mortalité est autant due à la maladie* qu'aux accidents. Si l'on signale des records de longévité au-delà de vingt ans, un chat, même bien soigné, ne dépasse généralement pas l'âge de quatorze ans. Les signes du vieillissement sont essentiellement une détérioration de la dentition, en particulier des incisives, un pelage* qui perd son lustre et souvent de l'apparition de la cataracte.

L'étude de la durée de vie des chats et des causes de leur mortalité est difficile, et les connaissances disponibles doivent être examinées avec beaucoup d'attention. Il faut savoir par exemple si les études portent sur un seul type de chat ou

mélangent animaux de compagnie et animaux de laboratoire. Certaines statistiques incluent des chats qui ont été euthanasiés tout simplement parce que leurs propriétaires n'en voulaient plus, ce qui, pour le moins, ne peut être considéré comme une cause de mort naturelle…

La castration* semble être un facteur de longévité accrue, en particulier pour les mâles, surtout si elle intervient avant la puberté (10,8 ans au lieu de 8,6). Mais, une fois de plus, l'interprétation de cette différence est difficile car de nombreux facteurs agissent en synergie. D'une part, les mâles castrés se battent moins, ce qui diminue les risques de mort violente ou de blessures infectées. D'autre part, moins intéressés par les femelles, ils sont moins vagabonds, donc moins exposés aux accidents et aux maladies. Enfin, les propriétaires qui font castrer leur animal ont généralement tendance à le faire vacciner, à surveiller de près son état de santé et à lui assurer une bonne alimentation. GLP

◼ Maladie

Comme pour beaucoup d'animaux, l'appétit est un excellent indicateur de l'état de santé du chat. S'il se désintéresse de la nourriture, c'est que quelque chose ne va pas. Si en plus il a les yeux ternes, sans vie, un examen médical s'impose. Les maladies graves les plus fréquentes sont d'origine infectieuse, mais les troubles d'origine dentaire ou plus généralement buccale sont également courants.

Le chat connaît des virus pathogènes proches de ceux qui affectent l'homme, tel celui du sida*, mais les transmissions des maladies félines à l'homme (zoonoses) sont assez rares. On a toutefois signalé que des chats errants* pouvaient être porteurs d'une salmonelle résistante aux antibiotiques et que ce parasite pouvait poser des problèmes à d'autres animaux et aux éleveurs. Inversement, il ne semble pas que le chat soit sensible à nos propres maladies.

Les troubles du comportement (apathie, anorexie, boulimie, conduites agressives) ne sont pas rares chez les chats de laboratoire ou de compagnie, et sont en général engendrés par de mauvaises conditions de captivité. Contrairement à l'animal sauvage qui peut choisir librement l'espace dont il a besoin et se soustraire facilement à des lieux ou des congénères déplaisants, l'animal captif doit subir notre découpage du temps et de l'espace, et cohabiter avec les compagnons – humains ou animaux – que nous lui imposons. En outre, le chat n'aime guère le changement : un séjour en chatterie, un déménagement peuvent déclencher des crises de diarrhée, des tics de la face ou même des infections oculaires. GLP

◼ MARQUAGE
Laisser une trace de son passage

Tous les mammifères sont équipés de glandes odoriférantes disposées sur le museau, le cou, l'aine, le dessous des pattes, etc. Le dépôt de ces sécrétions, appelé marquage, s'effectue sur des supports inertes aussi bien que sur des congénères lors de certaines interactions sociales. Chez le chat, le marquage peut s'effectuer par frottements*, mais le signe le plus manifeste consiste en dépôts d'urine : l'animal urine vers l'arrière avec la queue* frémissante et relevée, le plus souvent sur un support vertical, puis s'éloigne sans flairer son urine. Ces dépôts, à l'odeur très caractéristique et tenace, sont très fréquents chez les mâles entiers, en particulier lors des déplacements. La castration* permet de limiter ce com-

■ Maternage

Parce qu'elle adopte sans difficulté des petits chats inconnus, et même des petits chiens, parce qu'elle est capable de nourrir des chatons qui ne sont pas les siens dans les situations de maternage collectif, la chatte passe pour être une « bonne mère ». Lors de sa première portée, pourtant, il n'est pas rare qu'elle ait un peu

portement chez les chats de compagnie. Les femelles urinent deux fois moins souvent, et essentiellement quand elles chassent. Mais elles pratiquent d'avantage le marquage par griffage (voir Griffes) qui, en plus de permettre le dépôt des substances odorantes libérées au niveau des coussinets plantaires, laisse des traces visibles…

Ce marquage est souvent interprété comme destiné à éloigner des intrus potentiels, à leur interdire l'accès au territoire*. Pourtant il est très rare de voir un chat s'enfuir après avoir flairé le dépôt d'urine d'un congénère. Il semble que, chez les chats, le marquage soit plutôt indicateur de l'ancienneté du passage. C'est la fraîcheur qui compte. Ce procédé, observé aussi chez d'autres félins*, permet l'exploitation d'une même source de nourriture par des animaux qui s'évitent. GLP

de mal à s'adapter à ce qui lui arrive. Comme pour beaucoup de mammifères, l'expérience des mises bas et des jeunes contribuera à consolider les aptitudes maternelles.

C'est sans doute dans le domaine de l'acquisition du comportement prédateur* que les influences maternelles, quand elles ne sont pas court-circuitées par l'homme, sont les plus spectaculaires. Dans les premiers mois du développement* des chatons, la mère apporte au nid des proies mortes, puis encore vivantes. Si les jeunes ont du mal à venir à bout de la proie, la mère s'en charge elle-même, mais sa participation ira diminuant au fur et à mesure que les techniques de capture* seront maîtrisées. Sans aller jusqu'à parler d'« enseignement », il est certain que ce comportement crée des situations propices à l'apprentissage. Il reste bien difficile de dire ce qui pousse la mère à faire preuve d'autant de sollicitude et de pédagogie. Il est peu probable que le dévouement ou l'abnégation soient des composantes de la psychologie animale. Difficile aussi d'envisager que la chatte perçoive l'effet de son comportement sur les capacités à venir de ses jeunes. Peut-être réalise-t-elle qu'elle rapproche ainsi le moment où elle n'aura plus à nourrir ses petits gloutons ? GLP

■ Menace

Les comportements de menace, maintenant un congénère ou un animal d'une autre espèce à distance, contribuent beaucoup à diminuer les combats.

Les vertébrés, dans ce domaine, font pour la plupart appel aux émissions sonores, au regard et à un accroissement de leur volume apparent. Là où le serpent siffle, où le chien grogne, le chat recourt aux feulements*. Assortis d'une mimique d'attaque, ils sont d'une remarquable efficacité, même vis-à-vis de l'homme.

Amical, le regard du chat est accompagné de clignements des yeux* ; mais en cas d'intimidation il est fixe et prolongé, et suggère au chat subordonné de s'éloigner.

Le comportement de menace le plus notable reste toutefois le « gros dos » : hissé sur ses pattes, les poils hérissés, le chat paraît plus haut et plus massif. Si l'on se pose beaucoup de questions sur la perception que les animaux ont de leur propre corps, il serait encore bien plus problématique d'imaginer qu'ils ont conscience de leur image telle qu'elle peut être perçue par l'autre, surtout si l'autre n'est pas de leur propre espèce. Étranges conduites qui ne fonctionnent que parce que la peur du « plus gros » existe. GLP

Jean-Baptiste
Siméon Chardin,
La Raie, 1728.
H/t 114 × 146.
Paris, Louvre.

■ MIAULEMENT

Au XVIe siècle, des saltim-
banques proposaient d'étranges exhibitions musicales :
dans une boîte percée d'autant de
trous qu'il y avait d'« exécutants » se
trouvaient enfermés dix ou douze
chats ; par chaque orifice passait la
queue d'un animal, sur laquelle le
« chef d'orchestre » tirait plus ou moins
fort… Le siècle suivant, séduit lui aussi
par la richesse des possibilités vocales
du chat, connut des montreurs moins
cruels, dont l'art consistait à faire miauler en mesure cinq ou six matous. Ces
« concerts miauliques », fort prisés du
public, n'ont pas manqué d'inspirer les
compositeurs, de Scarlatti (*Fugue du
chat*) à Rossini (*Duetto bouffe des
chats*), de Mozart (*Nun, liebes Weib-
chen*) à Offenbach (*La Chatte méta-
morphosée en femme*), sans omettre
Ravel (*L'Enfant et les sortilèges*, sur un
livret de Colette).

Par rapport à la plupart des carnivores, le répertoire vocal des félins*
est en effet extrêmement étendu, et
de toutes leurs émissions sonores, les
miaulements sont certainement les
plus variés. Commencés bouche
ouverte, ils peuvent se poursuivre
bouche fermée et consistent en une
suite de sons globalement identifiés
comme « mi-a-ou » en langue fran-
çaise ou allemande et « mé-ou »
(*mew*) par les Britanniques. Les miaulements les plus spectaculaires sont
ceux qui accompagnent les chaleurs
des femelles. Monotones et répétés,
ils sont tellement continus que certains auteurs ont dit que le « chant »
de la chatte devenait « liquide ».

Il est bien difficile de dire pourquoi
les chattes miaulent. Notre anthropo-
morphisme aime à penser que c'est
pour attirer les mâles, mais peut-être
est-ce simplement l'expression d'un
profond déséquilibre hormonal. Il est

clair, en tout état de cause, que ces vocalisations jouent un rôle dans la communication. Elles attirent les congénères, mais pas spécifiquement les mâles. Beaucoup de propriétaires de chats trouvent ces périodes telle-ment désagréables qu'ils en tirent argument pour faire castrer* les femelles, les privant ainsi des émois sans doute les plus violents de leur vie. GLP

DM
IAFTVS
PAT

Stèle de Laetus :
fillette tenant
un chat.
Art gallo-romain,
IIᵉ siècle.
Bordeaux, musée
d'Aquitaine.

▦ Mort

Animal psychopompe, le chat se montre dès l'Antiquité, statufié par les Égyptiens, tel qu'en lui-même la mort le fige dans la pose hiératique de la déesse Bastet*. Sphinx parmi les sphinx, initié aux mystères du voyage nocturne au pays des morts, il est une sorte de ludion qui chemine d'une rive à l'autre, une créature énigmatique qui détient les clés des deux mondes. Ainsi continua-t-on à le considérer dans le monde gréco-romain, puisque le chat,

associé à des divinités funèbres comme Isis ou Déméter, devint le *genius loci* associé aux mânes, chargé notamment d'accompagner les enfants dans l'au-delà, comme en témoignent plusieurs stèles funéraires gallo-romaines.

Hôte silencieux des cimetières – une fréquentation qui renforce dans l'inconscient collectif l'idée d'un commerce constant avec l'empire des morts –, le chat, à qui la rumeur prête sept ou neuf vies (deux chiffres sacrés), ne disparaît pas de nos existences sans apporter le trouble. Sa mort, dans les campagnes, était toujours de mauvais augure pour ses maîtres. Un chat qui désertait la maison où se trouvait un malade était le présage* d'une issue fatale. Une croyance toscane veut que la Mort, si on l'appelle, se présente sous les traits d'un chat. Sombres privilèges octroyés à un animal que l'immobilité du sommeil* fige auprès de nous les deux tiers de son existence… RL

▦ Moustaches.

Voir Vibrisses

▦ Noir ou blanc

Dieu a créé le soleil tandis que le démon donnait naissance à la lune ; le jour est l'œuvre du premier, la nuit du second. Même dualisme avec le chien* et le chat, ce dernier étant considéré comme une réplique manquée du fidèle ami de l'homme. La plupart des croyances popu-

Édouard Manet,
*Rendez-vous
des chats.*
Lithographie,
65 × 50.
Stockholm,
Nationalmuseum.

laires de l'Occident médiéval chrétien font du chat la victime désignée d'un manichéisme sans appel, la double symbolique solaire/lunaire qui lui était attachée, héritée de l'Égypte*, disparaissant au profit du seul aspect nocturne, désormais entaché d'une connotation maléfique. Seuls les alchimistes conserveront la richesse de la symbolique originelle du chat, faisant de lui le modèle de l'androgyne hermétique.

Au cœur de cette lutte entre nuit et jour, le noir répond au blanc. Si l'animal au pelage blanc peut incarner la pureté (mais aussi la sensualité, et le deuil en Grande-Bretagne), le chat noir devient la figure emblématique du mal. Le pape Grégoire IX lance sur lui l'ana-thème (bulle *Vox in rama*, 1233) et l'animal est couramment sacrifié, sauf s'il porte au cou la touffe blanche appelée « marque de l'ange » ou « doigt de Dieu ». Équivoque chat noir, à la fois bête du bonheur et du diable : le matagot provençal et le « chat d'argent » breton, tous deux noirs de robe, étaient supposés rapporter à leur maître la fortune sous forme de pièces d'or – ainsi que la damnation ! Au XIXe siècle, Edgar Poe jouera sur cette dualité, faisant du chat noir, dans un conte fameux, l'instrument de la justice et l'image même de la peur, tandis que le cabaret du Chat noir, fondé à Montmartre en 1881, voyait en lui le provocateur inspiré en révolte contre l'ordre bourgeois. RL

◼ NOMS DU CHAT : DU MATOU AU GREFFIER

Le mot qui désigne en français *Felis catus* possède une histoire aussi complexe que celle du chat domestique. Si les Égyptiens avaient choisi l'onomatopée (*myeou*), les Grecs préférèrent la métonymie, *ailouros* signifiant « balance-queue », puis assimilèrent le chat à une « belette domestique » (*galè katoikidios*; IIᵉ siècle). En latin, *félis* cède la place au IVᵉ siècle de notre ère à *cattus* (puis *catus*) en bas-latin, ce dernier mot étant peut-

Vittore Carpaccio, *La Légende de sainte Ursule* : *le départ des ambassadeurs* (détail), 1495. Venise, Accademia.

être contemporain de l'introduction* du chat d'Orient à Rome, comme tendrait à le prouver sa parenté avec les termes employés dans les langues nubienne (*kadis*), berbère (*kadiska*), syrienne (*qatô*) et arabe (*qitt*). Cette hypothèse prévaut de nos jours sur celle d'Isidore de Séville (VIIᵉ siècle) faisant dériver *catus* de verbes désignant deux qualités éminemment félines : *captare* (« prendre ») et *cattare* (« avoir une vue perçante »).

Le mot *chat*, attesté dès 1175, provient directement de *catus* et ignore les termes savants de *musio*, *murilegus* et *muriceps* (« preneur de souris »).

Chatte et *chaton* n'apparaissent qu'au XIIIᵉ siècle, mais ces trois vocables perdureront jusqu'à nous, ce qui n'est pas le cas d'une foule de mots (régionaux ou argotiques pour la plupart) plus ou moins tombés en désuétude ou démotivés, comme *mite, mitaine, miste, maroufle, mistoufle, miston, mion, minot, minault, mitou, marcou*. Certains de ces termes ont également servi à désigner des personnes, et l'on peut lire dans ce glissement les valeurs attribuées au chat : virilité agressive, grossièreté, malhonnêteté pour le *matou*, le *marlou*; sexualité* dévorante pour la *catin*.

Des noms du chat, seul le mot *greffier* est encore couramment employé. Encore faut-il en fouiller l'étymologie pour comprendre son sens initial. Il s'agit d'un jeu de mots associant *greffe* et *griffe*; le greffe étant le poinçon ou stylet, puis le bureau où l'on conservait les actes de procédure juridique, actes rédigés par le greffier. Cet homme qui greffait ou griffait le parchemin faisait songer au chat à la griffe* facile. Ainsi greffiers humains et félins se rencontrèrent-ils par le biais de l'écriture, et l'on sait l'extraordinaire postérité de cette association (voir Littérature). RL

◼ Olfaction

L'olfaction regroupe plusieurs sensibilités aux substances chimiques, en particulier l'odorat et le goût. Ceux-ci sont assez bien développés chez le chat, davantage que chez l'homme mais moins que chez le rat ou la souris. La muqueuse olfactive tapissant les fosses nasales occupe une surface double de la nôtre. La reconnaissance des goûts se fait par la langue dont les bords antérieurs et latéraux portent des bourgeons gustatifs. Chez le chat, comme chez le cheval, en plus des narines et de la langue existe un organe voméronasal (organe de Jacobson), dont l'entrée se trouve dans le plafond de la cavité buccale : le chat s'approche tout près de l'objet à flairer et garde un moment la tête immobile, les lèvres légèrement entrouvertes et tirées en arrière. Cette posture, dite de « flehmen », est souvent interprétée à tort comme une menace*, car le soulèvement de la lèvre supérieure découvre les dents. Elle est surtout utilisée lors de l'inspection de traces laissées par des congénères ou pendant l'inspection de la région ano-génitale de la femelle en chaleur.

Arrivant dans un lieu inconnu, le chat, avant toute chose, regarde autour de lui et marche le nez au ras du sol. Il ne lui faudra pas longtemps pour détecter l'endroit où un autre chat s'est frotté ou a uriné, même si les marques sont vieilles de plus de huit jours. On le sait capable de distinguer les urines de différents individus, et particulièrement celles d'une chatte en chaleur. Bien souvent, il procède ensuite à son propre marquage*, soit par projection d'urine, soit par frottements* et roulades*.

L'inspection de la nourriture commence par l'odeur, qui peut suffire à déclencher des réactions de rejet. Sans être vraiment un fin palais, le chat distingue bien les goûts, mais il semble qu'il ne fasse pas la différence entre le sucré et le salé. GLP

◼ Organisation sociale

Bien qu'il soit essentiellement solitaire, il arrive que le chat domestique revenu à la vie sauvage constitue spontanément des associations. On peut les observer facilement dans les grandes villes ou dans certaines fermes, mais elles semblent très rares, sinon inexistantes chez les animaux se nourrissant uniquement de proies. C'est donc sans doute la relative abondance de nourriture liée à la proximité de l'homme qui permet cette vie coloniale (voir Colonie).

Quand ils ont opté pour le groupement, les chats* libres vivent en général en petits groupes familiaux, les femelles adultes restant au contact de leurs jeunes. Plusieurs femelles peuvent appartenir au même groupe. Leurs relations seront alors fréquentes et en général amicales. Les chattes peuvent aller jusqu'à élever des jeunes en communauté. Par contre, les relations sont agressives vis-à-vis de congénères étrangers au groupe, quel que soit leur sexe, surtout si les chattes ont des jeunes.

Les mâles adultes sont plus solitaires, occupant le plus souvent des territoires* individuels, et leurs relations sont rarement amicales. Dans une étude de chats occupant des fermes, l'éthologiste Liberg distingue quatre catégories de mâles : les reproducteurs, représentés en général par un seul individu « central » pour une ferme donnée, qui monopolisent les accouplements ; les challengers, âgés de deux ou trois ans, souvent impliqués dans des combats avec les reproducteurs ; les mâles de passage, jeunes animaux provenant d'autres fermes et évitant les contacts avec les résidents ; et enfin les novices, encore dans leur groupe natal mais sujets à des attaques de la part des plus âgés. GLP

■ **Pelage**

Les poils du chat sont de deux types : les plus grands, formant la couverture, sont les poils de jarre ; les poils secondaires, plus fins, poussent entre les premiers en un duvet plus doux, et sont deux fois plus nombreux sur le ventre que sur le dos. Ensemble ils constituent un remarquable isolant thermique, mais aussi une protection contre les chocs, les égratignures ou les petites coupures. De tout petits muscles horripilateurs sont situés à la base des poils et per-

mettent de les soulever, soit pour assurer une régulation thermique, soit lors d'un comportement de menace*.

La sélection de différentes races* par fixation de mutations génétiques* a surtout utilisé les variations du pelage, dans sa couleur et son aspect. Les races à pedigree se classent d'ailleurs en deux grandes familles : les races « à poil court », représentant le type sauvage, et les races « à poil long », porteuses d'une mutation récessive. Parmi les chats à poil court, on rencontre des races à poil frisé, comme les white hair ou les rex cornish. Très peu d'animaux possèdent un pelage de couleur tout à fait homogène, à commencer par les chats noirs* qui arborent bien souvent quelques touffes blanches. Outre les traditionnels pelages tigrés, il existe des pelages à marques rondes ou ovales, dits « mouchetés » ; quand la pointe du poil est plus sombre que la base, le pelage est dit « ticking ». Enfin, il existe des robes à deux, trois ou quatre couleurs. Chez le chat siamois, la différence de couleur est due à la thermosensibilité du gène codant pour la couleur beige clair : ce gène ne s'exprimant qu'à partir d'une certaine température, les extrémités du corps, c'est-à-dire les pattes, la queue, les oreilles et le museau, restent sombres.

Le frottement soutenu d'une peau de chat contre un support provoque une accumulation importante d'électricité statique, phénomène aujourd'hui bien connu, mais qui a longtemps contribué à doter le chat de pouvoirs magiques. Ainsi, la médecine populaire recommandait de frotter les plaies avec la peau d'un chat pour accélérer la cicatrisation. GLP

■ Personnalité

Chaque chat possède une personnalité très marquée. Certains passent le plus clair de leur temps à chasser alors que d'autres semblent avoir du mal à quitter le confort du fauteuil ou du radiateur. Certains n'aiment rien comme se faire cajoler, d'autres sont littéralement intouchables et griffent la main qui venait les caresser. Si leurs propriétaires ont pu constater que tous les chats ne sont pas également amicaux, craintifs, curieux, nerveux, stupides, patients, sociables, joueurs, bruyants, l'étude scientifique de ces différences est encore à faire.

L'origine en est composite. Ces traits ne sont certainement pas indépendants de paramètres génétiques*. Dans les lignées de chats blancs aux yeux bleus, par exemple, les femelles sont souvent très timides. Mais les processus conduisant à ces effets peuvent être très indirects : dans ce cas précis, la cause est sans doute la surdité qui accompagne généralement le pelage* blanc et qui s'exprime surtout si les yeux sont bleus. Les conditions du développement* affectent aussi la mise en place de la personna-

lité : un chat ayant connu l'isolement dans son très jeune âge sera moins sociable et moins joueur avec ses congénères.

Pendant les premiers jours de vie, lorsque le jeune animal fait toute chose pour la première fois, chaque événement est important. Dans une même portée, les jeunes peuvent présenter très tôt de grosses différences de tempérament, assez bien repérables par les différences de vocalisations. Ceux qui ont eu le plus de mal à trouver les tétines, plus agités et plus bruyants, seront moins attachés à leur mère et se rapprocheront plus facilement de l'homme. Moins dépendants du nid, ils se montreront plus explorateurs et moins timorés face à la nouveauté.

Comme les autres traits psychologiques, la personnalité n'est pas un caractère intrinsèque d'un animal, mais l'expression d'une relation particulière à un milieu à un moment donné de son existence. C'est ce qui la rend changeante selon la situation. Ainsi, il n'est pas rare qu'une chatte habituellement très amicale avec l'homme devienne peu tolérante quand elle a des jeunes. GLP

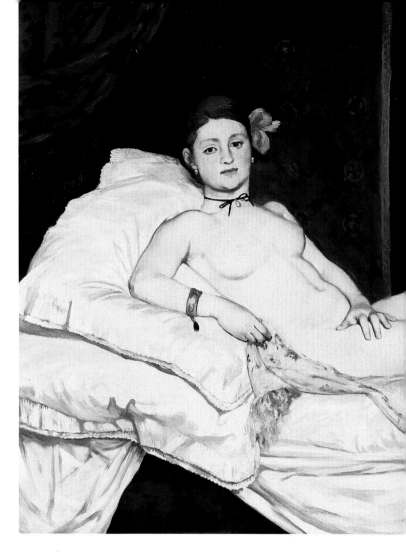

■ PIÉTINEMENTS

Les piétinements sont des mouvements plutôt lents des pattes avant qui semblent fouler le support, griffes rentrées, et correspondent en général à un moment d'intense bien*-être. Bien qu'ils soient exprimés dans des situations sociales (voir Jeu), ils ne sont pas nécessairement outils de communication. Ils apparaissent très tôt, dans les deux premiers jours de vie : le tout jeune chaton piétine doucement le ventre de sa mère autour de la mamelle qu'il est en train de téter. Repu, il poursuit les piétinements, lesquels seront associés aux ronronnements* quelques jours plus tard. Cette attitude infantile se conserve bien souvent à l'âge adulte, transférée alors sur le propriétaire du chat, voire, en élevage*, sur l'animalier qui s'approche. Les piétinements sont également investis dans le comportement sexuel (voir Sexualité). Au moment de la parade, lorsqu'elle est très excitée, que le mâle est présent mais pas encore tout à fait prêt, la chatte s'approche de lui avec des pié-

Édouard Manet, *Olympia*, 1863
H/t 130,5 × 190. Paris, Orsay

tinements convulsifs des pattes arrière. Un peu plus tard, quand elle adopte la posture de lordose propice à la copulation, ventre au sol, dos cambré, arrière-train relevé, elle poursuit généralement ses mouvements des pattes arrière. Si elle n'est pas assez cambrée, le mâle monte sur son dos et la piétine fermement, ce qui a pour effet d'améliorer la présentation de la vulve. Après plusieurs montes, lorsque le mâle est fatigué et cherche à se soustraire à ses sollicitations, la femelle tentera de le stimuler par une parade intense, faite de roulades* et de piétinements. GLP

Poètes

Dès la Renaissance, le chat est l'un des inspirateurs privilégiés des poètes qui voient en lui un compagnon d'étude et de solitude, l'ami des bons et des mauvais jours, appréciant aussi bien la rigueur monacale du cabinet de travail et la chasse aux souris que la chaleur du foyer et la bonne chère. Dans l'insondable mystère des yeux* du chat, les poètes puisent donc à travers les siècles, chacun avec sa sensibilité propre et ses fantasmes.

Félix Nadar, *Théophile Gautier et ses chats*, 1858. Fusain et rehauts de craie blanche sur papier brun, 31 × 23,4. Paris, Bibliothèque nationale de France.

encore, dans son sonnet sur la mort de Belaud (1558), tandis que le Tasse trouvait d'aussi beaux accents en Italie. Avant eux, on admire surtout le poème d'un moine irlandais du VIIIe siècle consacré au chat Pangur Ban. L'époque classique s'éloigne de ce réalisme pour faire du chat soit un personnage de cour dont on vante la beauté, les mœurs raffinées, l'attachement* pour les humains, soit, avec les fables de La Fontaine, un animal hypocrite, cruel, gourmand et sournois.

Le XVIIIe siècle est marqué par l'hallucinant *Sur mon chat Jeoffry*, de l'Anglais Christopher Smart, ainsi que par les textes de John Keats et Horace Walpole. C'est le lien entre le psychisme étrange de l'animal et l'âme tourmentée du poète qui se fait jour. Les poètes français des XIXe et XXe siècles ont fait du chat leur muse sensuelle, qu'il s'agisse de Baudelaire, Verlaine, Rollinat, Laforgue, Charles Cros, Apollinaire, Fargue, Francis Jammes ou Georges Brassens. Sur des modes divers, tous associent félinité et féminité*. Angélique, divin ou diabolique, c'est le chat dans toute la complexité de sa nature insolite qui trouve au détour du XXe siècle ses plus brillants chantres. Depuis, il n'a cessé de séduire, d'émouvoir ou de faire sourire, tentant aussi bien les surréalistes que les tenants d'une écriture plus classique. RL

Cette poésie d'inspiration féline reflète également les goûts, travers et aspirations de chaque époque, le chat nous offrant en un subtil jeu de miroir une image fidèle de la société dans laquelle il évolue.

La Renaissance nous donne plusieurs portraits de chats rayonnant de tendresse, d'une belle vérité psychologique. À Joachim du Bellay revient l'honneur d'avoir le premier chanté le chat en France, avec une sensibilité qui nous touche

■ **Poisson.** Voir Lait

■ **Prédation**

Tous les félins* sauvages sont des prédateurs, c'est-à-dire qu'ils se nourrissent de proies vivantes. Il est très difficile de connaître exactement le poids de la prédation du chat sur les populations de ses proies, car il est rarement le seul prédateur présent ; en outre, très peu d'expériences précises ont été menées. Dans les fermes, le chat est capable de limiter de manière importante les populations de rats, mais il ne les fait jamais disparaître totalement, sans doute parce qu'il tue rarement les rats adultes. Il freine également la prolifération des souris et des mulots. En Australie, on a montré que le chat et le

même en cas de forte baisse de la densité des proies, contrairement à un prédateur sauvage. La plus grande prudence devrait donc être observée avant d'introduire cette espèce dans des espaces où elle n'a jamais vécu, et en particulier sur des îles, où les équilibres naturels sont souvent fragiles. C'est ainsi qu'une espèce endémique de tourterelles a disparu de l'île de Socorro, au Mexique, quand une petite garnison de militaires y eut amené des chats à la fin

furet peuvent à eux deux, en l'espace de cinq ans, ramener une densité de lapins de 120 à 3 sujets à l'hectare. Il est probable que la présence d'un chat diminue la population de passereaux dans un jardin ou une ferme, mais là encore les études expérimentales font défaut.

La capacité du chat à changer de proie en fonction des disponibilités est remarquable. Mais parce qu'il peut aussi se contenter de la nourriture fournie par l'homme, il peut se maintenir

des années 50. De la même façon, l'île de Stephen, en Nouvelle-Zélande, a été privée de ses roitelets. Les oiseaux marins ne sont pas non plus à l'abri de tels ravages : l'île britannique de l'Ascension, dans l'Atlantique austral, a vu s'évanouir ses colonies de frégates, et plusieurs études sur des îles de Nouvelle-Zélande ont montré que la présence du chat pouvait être fatale aux pétrels en l'espace de quinze ans, alors qu'ils se maintenaient très bien sur les îles voisines. GLP

William Hogarth, *Les Enfants du Docteur Daniel Graham* (détail), 1742. Londres, Tate Gallery.

Présage

L'apparition du chat, quelle que soit sa couleur, engendre rarement l'indifférence, comme le prouve la tradition populaire. L'animal n'est jamais considéré comme innocent et sa rencontre était un signe que l'on interprétait diversement, au gré du temps, de la contrée, des lieux, des heures, et des actions que l'on entreprenait. Force est d'admettre que, presque toujours, le chat prédisait guigne et malchance, surtout lorsqu'on le rencontrait le premier jour de l'année ou le matin en se rendant à ses affaires. Un chat se dirigeant vers une personne inconnue annonçait une trahison, et bien des pêcheurs n'embarquaient pas s'ils rencontraient un chat. Croiser un chat noir* venant de gauche laissait augurer le pire. À minuit, un chat ne pouvait être que diabolique.

Francisco Goya, *Où va maman?* Planche extraite des *Caprices*, 1799.

Cette image négative du chat domestique, outre son bagage religieux et culturel venu d'Orient, était certainement liée à sa parenté avec le chat* sauvage qui causait des ravages dans les poulaillers et était perçu comme nuisible. On ignorait alors que les deux espèces étaient seulement « cousines », comme devait plus tard l'établir la systématique*.

Mais le chat ne véhiculait pas que de mauvais présages. Dans certaines régions, sa présence dans la maison était gage de chance. Il était recommandé aux jeunes gens qui souhaitaient se marier de le bien traiter. Les demoiselles devaient prendre garde de ne pas marcher sur la queue* d'un chat : le nombre de cris poussés par l'animal les condamnait à autant d'années de célibat forcé. Quant à l'apparition d'un chat devant les mariés à la sortie de l'église, elle est toujours considérée (en particulier en Grande-Bretagne) comme un heureux présage pour le couple. Il en va de même d'un chat éternuant devant la mariée! RL

Queue

« Il ne faut pas tirer la queue du chat », dit un dicton, et à juste titre car ce n'est pas un jouet ni une partie mineure du corps de l'animal. La queue est formée de vertèbres articulées contenant la dernière partie de la moelle épinière, que certaines croyances populaires prenaient autrefois pour un « ver » parasite. En Bretagne, il ne fallait pas marcher sur le bout de la queue d'un chat, sous peine d'en voir sortir un serpent prêt à mordre. Dans bien des régions d'Europe, on coupait donc cette extrémité, ce qui avait pour autre avantage d'empêcher ce traditionnel compagnon des sorcières* de se rendre au sabbat. De taille et de forme variable d'une race* à l'autre, la queue est d'abord un important organe de l'équilibre et joue un rôle essentiel dans les exercices de voltige et le retournement*, qui donne au chat cette fameuse faculté de retomber sur ses pattes.

La queue trahit souvent l'état psychologique du chat, comme chez d'autres carnivores, mais il est difficile de lui attribuer une réelle fonction de communication car il n'est pas établi que les congénères en tiennent compte. La queue redressée est à la fois une posture témoignant d'un certain bien*-être, en particulier chez les jeunes, et une posture de prise de contact : la queue relevée, dégageant la région ano-génitale, est en effet très fréquente lors de l'approche amicale des congénères ou de l'homme, ainsi que dans l'approche sexuelle.

La queue repliée sous le ventre indique toujours une forte crainte, un état de détresse. Les moments de forte tension, telles l'approche de la capture*, la proximité d'un combat, une menace* appuyée, s'accompagnent souvent d'un gonflement et de légers battements de l'extrémité de la queue. Comme ces petits mouvements pouvaient faire fuir la proie au dernier moment, les Britanniques ont sélectionné sur l'île de Man une race de chats, les manx, privés de queue par une mutation génétique*. GLP

■ Races

Dans le tome onzième de son *Histoire naturelle* (1758), consacré au chat, Buffon reprend la classification du Suédois Linné (1745) et répertorie quatre races de chat (outre le chat* sauvage, qu'il croit encore parent de *Felis catus*) : chat domestique, chat des chartreux, chat d'angora et chat d'Espagne (en fait, une variété tigrée de chat domestique).

Cette classification ne se modifiera guère jusque dans la seconde partie du XIXe siècle et il faudra attendre la constitution de sociétés d'élevage* et de clubs félins (la première exposition féline parisienne a lieu en 1896 au Jardin d'Acclimatation) pour voir les amateurs s'intéresser à des variétés plus rares, comme le persan, le siamois, l'abyssin, le

Le Chat sauvage
Le Chat d'Espagne
Le Chat sauvage
de la Nouvelle
Espagne
Le Chat d'angora
Planches extraites
de Georges Louis
de Buffon,
Histoire naturelle,
1758. Paris,
Bibliothèque
nationale
de France.

manx ou le bobtail japonais. 1913 voit la création du Cat Club de France, vite concurrencé par d'autres associations qui voudront imposer leurs propres standards, jusqu'à la mise en place, en 1992, d'un Livre d'origines unique, établi en collaboration avec le ministère de l'Agriculture. Une trentaine de races reconnues de nos

Persan bleu.

jours : c'est beaucoup et peu à la fois si l'on songe aux 340 races de chiens répertoriées. Mais que de variétés au sein de chaque race ! Le persan reste champion en la matière, puisqu'il est passé en soixante ans de 13 à 150 variétés…

Si la sélection naturelle a donné de beaux résultats (chat des forêts norvégiennes, maine coon, singapura…), les canons de la beauté féline subissent

parfois une dérive digne des expériences du docteur Frankenstein, les éleveurs n'hésitant pas à fixer certaines mutations (naturelles ou artificielles) d'un intérêt esthétique très contestable (le sphinx ou chat nu, le pudelkatze aux allures de caniche, le munchkin aux pattes courtes de basset…), quand elles n'ont pas des effets regrettables sur la santé des chats (oreilles recourbées du scottish fold, nez trop écrasé de certains persans, faiblesse rénale du birman), flattant uniquement le goût pour l'insolite de certains amateurs. La question se pose de savoir s'il faut instituer des règles déontologiques en matière de félinotechnie, ou laisser continuer une escalade dictée par les concessions à un marché en pleine expansion… RL

■ Régime alimentaire

Les études quantitatives qui nous renseignent sur ce que mangent les chats utilisent essentiellement l'analyse des contenus stomacaux et intestinaux de chats errants* abattus ou d'animaux trouvés morts. Les autres méthodes portent sur l'analyse des fèces ou encore sur le comptage des proies ramenées par les chats.

Les principales proies du chat sont toujours les petits mammifères et ne sont jamais plus grandes que lui. Contrairement à une croyance répandue, la prédation* sur les oiseaux est en général assez faible. À l'occasion, le chat peut également capturer des reptiles, des batraciens, des poissons* et des insectes. La consommation d'herbe (voir Cataire) lui apporte des oligo-éléments et des vitamines, aide à la digestion et à la dégurgitation des poils

absorbés lors de la toilette*, et contribue à le débarrasser de certains parasites intestinaux.

Le régime alimentaire varie grandement avec le degré de proximité vis-à-vis de l'homme. Élevé en appartement, le chat de compagnie ne consomme quasiment jamais de proies ; nourri le plus souvent de « boîtes » et de croquettes, il bénéficie de menus de luxe dont le marché lucratif ne cesse de croître dans les pays occidentaux. Dans les zones suburbaines, il peut ajouter à son menu quelques oiseaux, souris et insectes ; à la campagne, les proies disponibles sont plus nombreuses et plus consistantes (rats, jeunes lapins).

Quant à la nourriture des chats harets*, elle contient toujours une part non négligeable d'aliments prélevés sur les déchets des humains. GLP

Dgi-Guerdgi nourrissant les chats avec des foies de moutons. Gravure de G. Scotin extraite d'un recueil sur les costumes du Levant, 1707-1708. Paris, bibliothèque des Arts décoratifs.

Oiseaux buvant dans une coupe. Mosaïque romaine provenant de la maison de Cicéron à Pompéi. Naples, Museo Archeologico Nazionale.

■ Représentation

S'il s'agissait à l'origine de représenter une divinité, ou du moins un animal sacralisé ou lié à une pratique magique ou religieuse (Inde, Japon, Amérique centrale), l'aspect esthétique de l'animal fut très vite pris en compte par les artisans, peintres et sculpteurs. Au fil des siècles, le chat dans la peinture devait être une double source d'inspiration : élément décoratif (notamment en Chine et au Japon), mais également dramatique et symbolique, l'animal se retrouvant rarement intégré par hasard au sein d'une toile où figurent des humains.

On doit à l'art funéraire d'Égypte* les premières représentations picturales du chat, qui inspirera également la Grèce, Rome, le Sud-Est asiatique et l'Amérique latine. Après de timides apparitions dans l'art religieux (bestiaires et livres d'heures gothiques), le chat suit depuis l'Italie la voie royale ouverte par Léonard de Vinci, Bassano, Véronèse, Tintoret, et intrigue Bosch, Dürer, Snyders, les Le Nain.

Jusque-là présence équivoque, compagnon de méditation des sages ou symbole de la trahison et du mal, lié aux forces cachées, il devient animal familier aux XVIIIe et XIXe siècles, représenté seul ou intégré dans des scènes de genre. De Watteau et Chardin jusqu'à l'*Olympia* de Manet, il apparaît comme élément érotique. Après Goya, qui le diabolise, Hokusai, Hiroshige, Courbet, Gauguin, Toulouse-Lautrec, Steinlen, il inspire des artistes aussi divers que Suzanne Valadon, Picasso, Miró, Chagall, Foujita, Cocteau, Balthus ou Leonor Fini. L'animal se fait médium, créature fantastique, image métaphorique du peintre et de sa création (Klee).

Dans le domaine de la sculpture, après la statuaire égyptienne, les mosaïques romaines et les hauts-reliefs indiens, le chat se montre triomphant dans le Japon du XVIIe siècle (*Chat endormi* du temple de Nikko, par Jingorô), puis connaît une vogue intense depuis la fin du XIXe siècle et jusqu'à nos jours auprès d'artistes animaliers comme Frémiet, Bugatti, Pompon, Sandoz, Nam, Godschaux, Giacometti. RL

■ Retournement

Le retournement consiste pour le chat à se retourner en l'air au cours d'une chute, pour finalement retomber sur ses quatre pattes. Cette réaction est permise grâce à un cervelet particulièrement développé qui coordonne les messages venant des organes des sens (yeux* et appareil vestibulaire situé dans l'oreille interne, informant le cervelet de la position de la tête dans l'espace) et les réactions motrices parvenant aux muscles. Le chat qui tombe redresse d'abord la tête, ramène les pattes avant près de la face et exécute une rotation de tout le corps, commençant par la partie antérieure, suivie de l'arrière-train. Il se retrouve finalement correctement orienté pour se recevoir sur les pattes.

Les chatons nouveau-nés ont déjà un sens de l'équilibre bien développé : avant même d'être capables de marcher, ils parviennent à se redresser s'ils sont

placés sur le dos. Il faudra la maturation des coordinations motrices, vers la quatrième semaine, pour que le réflexe de retournement se mette en place. Il se perfectionnera encore pendant deux semaines avant de fonctionner comme celui de l'adulte (voir Développement). Mais il ne faudrait pas surévaluer les capacités d'équilibriste du chat. Une chute dans le vide depuis un premier étage, par exemple, ne lui permet pas de se retourner et peut occasionner de graves fractures. À l'inverse, une hauteur excessive (sixième étage et plus) lui est généralement fatale (voir Grimper). GLP

■ RONRONNEMENT

Quoi de plus agréable que le ronronnement du chat sous la caresse, entraînant l'oreille et la main dans une même vibration ? À l'exception du genre *Panthera*, tous les félins* ronronnent. Ce son particulier, dont on ne sait pas exactement comment il est produit, peut être considéré comme une forme de communication dans la mesure où il indique un état psychologique particulier, détendu et satisfait, et où il peut varier beaucoup en réponse au comportement du congénère.

Peut-être peut-on le comparer au sourire dans notre espèce ? Les chatons commencent à ronronner dès les premiers jours de vie, lors des tétées. Ce sont alors des émissions incomplètes, produites seulement à l'expiration. Ce n'est que vers l'âge de trois semaines qu'ils sont capables de ron-

ronnement continu. Si l'effet est apaisant et stabilisant pour la mère, la maintenant immobile, prolongeant le contact, il est possible que le ronronnement ait un rôle important dans l'établissement des relations d'attachement. L'utilisation du ronronnement par les animaux adultes, en particulier dans les situations sociales et sexuelles, renforce la comparaison avec le sourire. Ainsi, les femelles adultes ronronnent en léchant leurs petits ou en courtisant un mâle. Quand il est émis par un mâle subordonné en face d'un dominant, le ronronnement semble bien aussi avoir un effet apaisant. Mais on ne dispose pas d'études précises indiquant si les attaques sont plus nombreuses lorsqu'il n'est pas émis.

L'abondance et la fréquence des ronronnements sont extrêmement variables d'un chat à l'autre. Peut-être l'étude de cette variabilité pourrait-elle être un bon point de départ pour des recherches sur les motivations et les effets sociaux de cette curieuse émission sonore…

Les murmures abondent spécialement dans la relation mère-jeunes. La mère murmure souvent en réponse aux murmures des chatons, ou quand elle arrive au nid. Alors que les grondements qu'elle émet parfois quand les petits sont trop agités ne semblent pas avoir d'effet sur leur comportement, les murmures les attirent tout de suite et les calment. GLP

Cécilia Beau (1863-1942),
Sita et Sarita (détail). H/t. Paris, Orsay.

Pierre Bonnard, *Le Chat blanc*, 1894.
H/carton 51 × 33. Paris, Orsay.

◼ Roulade

Au cours des premiers jours des chaleurs, la chatte frotte de plus en plus souvent ses flancs et sa tête contre tous les objets qui s'y prêtent. Ce comportement va peu à peu se transformer en roulade : la joue vient s'appuyer contre le sol, puis le corps bascule, poussé par les pattes arrière, et la chatte s'affale sur le côté. Elle roule alors d'un flanc sur l'autre en se tortillant comme un reptile, s'arrête quelques secondes à moitié sur le dos, lèche rapidement la face interne de ses pattes avant, capture une de ses pattes postérieures et la lèche à son tour. Si

en roulant sa patte touche un pied de table ou autre objet de bois, c'est l'occasion d'un rapide coup de griffe*. Elle recommence à rouler une fois ou deux, puis se lève et reprend toute la séquence un peu plus loin. À ce stade, une chatte sauvage se met à uriner abondamment, phénomène que la domestication* semble avoir beaucoup atrophié. Au cours des jours suivants, ce comportement va s'intensifier. Aux roulades seront associés des frottements* des flancs contre le sol, souvent en tournant le dos au partenaire, queue* soulevée sur

Hiroshige,
*Cent vues d'Edo :
le chat à la fenêtre,*
1857. Paris,
galerie Ostier.

le côté, exhibant la vulve. Ces sollicitations sexuelles sont exécutées devant le mâle quand il approche, avant que la chatte soit prête à l'accouplement, et contribuent certainement à sa propre préparation. Elles seront à nouveau utilisées si le mâle menace de s'éloigner ou quand, après plusieurs copulations, il s'écarte un peu pour récupérer. À l'occasion des roulades, la femelle laisse sur le sol le produit des glandes sébacées du dos et des flancs ; elle diffuse ainsi son odeur et en imprègne l'endroit (voir Marquage).

La chatte peut tout à fait exécuter ces frottements et roulades devant son propriétaire ou une personne très familière. Les très jeunes chatons, mâles ou femelles, esquissent eux aussi de nombreuses roulades, et il est certain que leurs jeux* contribuent beaucoup à la construction de ce comportement. Certaines substances, comme la cataire*, peuvent également déclencher des roulades frénétiques et voluptueuses chez le chat adulte. GLP

◼ Rythme d'activité

Les rythmes biologiques sont des fluctuations dans l'activité des êtres vivants dues essentiellement à des facteurs externes comme la lumière, la température ou la présence d'autres individus. Mais on constate également des fluctuations périodiques chez les animaux maintenus dans des conditions de milieu constantes, ce qui suggère l'existence d'un mécanisme interne, d'une « horloge biologique » réglant l'organisme (rythmes circadiens).

Comme la plupart des prédateurs, les félins* sauvages ont un rythme d'activité subordonné à celui de leurs proies. Dans une

certaine mesure, il en est de même pour le chat. Si le gros de sa quête concerne les petits rongeurs, il sera surtout crépusculaire, particulièrement actif en début de nuit. Mais si les oiseaux l'attirent, il saura très bien chasser en plein jour et partager ses heures d'activité. Les observations de colonies* ou de chats vivant à la campagne montrent que les captures* sont réparties sur un cycle biologique entier (nycthémère). Quand il dispose de quantités suffisantes de nourriture, le chat adopte spontanément une fréquence élevée de petits repas, 8 à 16 par 24 heures. Une femelle adulte passe environ la moitié de son temps à chasser, et seulement un quart si elle vit par exemple dans une ferme.

Bien des mammifères, ongulés en particulier, sont devenus nocturnes pour mieux échapper à l'homme. Inversement, cette grande plasticité des rythmes d'activité permet à certains animaux vivant dans un environnement humain de s'adapter à notre rythme. Ainsi, dans les fermes, l'heure de la traite peut devenir un rendez-vous régulier pour les chats s'ils se voient gratifiés d'une soucoupe de lait*. Le rythme imposé par les humains est plus marqué encore pour le chat de compagnie s'il n'est pas autorisé à quitter la maison ou l'appartement. GLP

▧ **Sacrifice.** Voir Bûcher

■ **Sevrage**

Chez le chat comme chez beaucoup d'animaux, le sevrage se fait à l'initiative de la mère qui supporte de moins en moins les sollicitations de chatons toujours plus exigeants. Lorsqu'ils ont quatre semaines, la chatte se met à fuir les jeunes et évite les postures d'allaitement*. Les petits commencent alors à ingérer de la nourriture solide. Dans les colonies* de chats harets, les mères apportent des proies aux jeunes dès la quatrième semaine après la naissance (voir Maternage) et ceux-ci sont capables de tuer eux-mêmes des proies dès la cinquième semaine. Vers sept semaines, le sevrage est

Chatte siamoise.

quasiment terminé. Les jeunes reviendront téter de temps à autre pendant encore plusieurs mois, mais moins pour se nourrir que pour se rassurer après une émotion forte ou un conflit.

Si la nourriture est peu abondante ou si les jeunes sont trop nombreux, il arrive que la mère les sèvre un peu plus tôt. Mais ceci n'est pas sans effet sur la mise en place des compétences sociales, et on observe alors souvent, chez les chatons stressés par la séparation, une hyperactivité et une persistance de comportements infantiles comme la succion. Certains propriétaires ou éleveurs* procèdent justement à des sevrages précoces pour que l'attachement* à l'homme se réalise plus facilement. GLP

■ Sexualité

La chatte en chaleur exprime son appétit sexuel avec une telle intensité et une telle force de conviction qu'elle en est devenue célèbre. En captivité, la chatte atteint la maturité sexuelle entre trois et neuf mois.

Les mâles devront attendre quelques mois de plus, mais dès l'âge de quatre mois les jeux* leur permettent de perfectionner des postures sexuelles comme l'agrippement par le cou et la monte. Les chats harets* ne seront adultes que vers quinze à dix-huit mois. Comme pour la grande majorité des mammifères, la femelle n'accepte les accouplements que pendant les périodes de chaleurs. Dans les pays du Nord, ces cycles apparaissent à la fin de l'hiver et se poursuivent jusqu'à l'automne, avec deux périodes maximales vers février-mars et vers mai-juin. Les mâles connaissent une période de rut correspondante, mais répondent aux stimulations sexuelles toute l'année.

Pendant les périodes de rut, les matous ont un comportement de marquage* exacerbé, urinant abondamment sur tous les supports. Ils ont aussi la bougeotte et supportent mal de rester enfermés. La tolérance entre eux disparaît totalement et les rencontres sont l'occasion de combats parfois violents. La

chatte en chaleur ne cesse de frotter sa tête et ses flancs partout, elle s'accroupit au moindre contact sur la queue ou le bas du dos, puis roulades* et piétinements* se font de plus en plus intenses, accompagnés d'un miaulement* particulier, puissant, monotone et continu. À l'approche d'un mâle, elle se roule devant lui avec la queue* relevée sur le côté, dégageant la vulve. Aux premières tentatives du mâle, elle n'est généralement pas prête et le sanctionne à coups de patte. Quand la chatte adopte une posture voussée avec l'arrière-train relevé (lordose), il l'agrippe par le cou, monte et copule quelques secondes.

L'issue du coït est en général brutale, et il arrive que la femelle se retourne pour menacer son partenaire, parfois même donner un rapide coup de griffe* dans sa direction. Après une dizaine de montes, le mâle fatigué s'éloigne, et la chatte doit déployer tous ses moyens de séduction pour stimuler ses ardeurs. Si plusieurs mâles sont présents, ils se menacent les uns les autres sans vraiment s'agresser; ils forment un cercle et attendent. Si l'animal choisi par la femelle est trop épuisé, elle en accepte généralement d'autres.

Des comportements sexuels atypiques peuvent être observés entre mâles, l'un prenant une posture de femelle réceptive à l'approche de son congénère. Quand ils sont très stimulés et privés de femelle, les matous peuvent monter divers objets (coussins, accoudoirs, sacs à main...). Dans les conditions austères du laboratoire, il n'est pas rare d'observer les chattes privées de mâle se lécher abondamment la vulve. GLP

■ **SIDA**
Un virus bien spécifique

Le virus du sida humain était déjà connu en 1987, quand Pedersen découvrit un virus ressemblant chez une chatte. L'animal, dès l'âge de sept mois, présentait de nombreux symptômes infectieux, suggérant une défaillance du système immunitaire. Son état s'aggrava, la chatte avorta d'une portée et finalement mourut. Depuis, ce virus – nommé FIV pour « Feline Immunodeficiency Virus » – a été isolé dans de nombreux pays, dont la France.

Les atteintes par le FIV doivent être suspectées en cas d'anorexie, de fréquents états léthargiques et fébriles, d'anémie, d'infections chroniques, notamment stomatites et gingivites, et en cas de troubles nerveux comme le reploiement sur soi-même, la torsion de la tête, des léchages anormalement fréquents des lèvres, ainsi qu'en cas d'avortement. La transmission du virus nécessite le contact direct entre les animaux et se fait peut-être comme celle de son homologue humain, par les voies sanguine et sexuelle.

L'épidémie est aujourd'hui importante et répandue sur tous les continents, dont l'Europe. La proportion de chats infectés est plus grande (plus de 30 % en 1989) dans les zones pavillonnaires où les animaux se promènent plus librement que dans les villes. L'infection est surtout fréquente chez les mâles adultes ayant eu une vie libre ou semi-libre. Des dépistages systématiques sont recommandés pour tenter de limiter cette épidémie. Les félins* sauvages sont porteurs de virus du même type, mais légèrement différents, si bien qu'on ne pense pas qu'il se transmette d'une espèce à l'autre. Quant au risque de transmission à l'homme, tous les tests visant à rechercher le FIV chez des propriétaires de chats infectés se sont révélés négatifs.

On ne dispose aujourd'hui que de traitements de soutien destinés à atténuer les effets des infections contractées, mais la mise au point de molécules antivirales progresse rapidement. Étant donné la grande ressemblance entre le FIV et le HIV, les chats sont très utilisés dans la recherche sur le sida humain. Ces expérimentations* permettent à la fois de mieux connaître le fonctionnement du virus et de travailler à le combattre. GLP

Sixième sens

Une seconde nature, due à son extrême sensibilité, si l'on en croit ses inconditionnels. Un comportement inexplicable, mais que l'on finira par élucider, pour les plus rationnels. Quoi qu'il en soit, le chat passe pour une sorte de médium voyant l'invisible – avec une prédilection pour les fantômes –, communiquant par télépathie, retrouvant son chemin à des centaines de kilomètres de son foyer. Une fois de plus, faits avérés, anecdotes troublantes et rumeurs fantaisistes se mêlent. Une grande sensibilité aux hautes fréquences sonores (voir Audition) et aux variations du champ magnétique terrestre, une sorte de « boussole » interne, déjà mise en lumière par les observations de l'entomologiste H.J. Fabre au tournant du siècle, des capteurs très performants (les vibrisses*), ont permis de commencer à élucider certains « mystères » du comportement du chat.

Il n'en reste pas moins que notre compagnon continuera longtemps à entretenir le doute, tant son psychisme déroute les cartésiens que nous sommes, et tant les cartésiens que nous sommes aiment croire à l'incroyable… RL

■ SOMMEIL

S'il est une chose que le chat ne connaît pas, c'est bien l'insomnie. Il dort même deux fois plus que les autres mammifères, luxe que peu d'espèces peuvent se permettre au vu de la vulnérabilité qu'offre l'état de sommeil. Alors que nous pouvons dormir huit ou neuf heures d'affilée, le chat répartit son sommeil quotidien sur plusieurs périodes courtes. Mais certains chats dorment pendant de longues heures, en particulier quand ils s'ennuient. C'est souvent le cas dans les élevages* et les laboratoires, ou lorsqu'ils restent seuls toute la journée dans un appartement.

Grand dormeur et grand rêveur, le chat a été utilisé dès la fin des années 50 dans les recherches sur les mécanismes électrophysiologiques du sommeil.

À l'aide de petites électrodes collées sur la peau, on enregistre l'activité électrique du cerveau pendant que l'animal dort. Lorsqu'il s'assoupit, le chat commence par une période de sommeil léger (sommeil à ondes lentes) : il se couche mais les muscles du cou sont encore toniques et retiennent la tête. Au bout de quelques dizaines de minutes, l'animal se détend et sombre dans un sommeil profond (sommeil paradoxal), caractérisé par une activité électrique cérébrale analogue à celle de l'éveil, par des mouvements oculaires rapides et

Chat persan Chinchilla.

une disparition du tonus musculaire. Le mécanisme inhibiteur provoquant cette atonie peut toutefois être mis en défaut sous l'effet d'influx moteurs puissants, et l'on note une agitation des pattes ou de la queue*, des tremblements des oreilles et des vibrisses*, parfois même de petits sons étouffés. Après cinq ou six minutes commence une nouvelle période de sommeil lent durant vingt à vingt-cinq minutes, et l'alternance se poursuit ainsi pendant toute la phase de sommeil.

Depuis une dizaine d'années, les travaux de Michel Jouvet ont permis de dévoiler le comportement onirique du chat pendant le sommeil paradoxal. En bloquant le système de commande d'atonie musculaire, il est possible d'observer tout un répertoire d'activités stéréotypées : le chat endormi relève brusquement la tête et semble explorer visuellement son environnement (mais il n'est pas sensible aux stimulus visuels).

Puis il se déplace et diverses attitudes apparaissent, sans ordre fixe : comportements d'attaque, de peur, de colère, de léchage, poursuite d'une proie imaginaire, approche, affût. Malgré ces résultats spectaculaires, les mécanismes du sommeil restent encore mal connus, et le rêve semble toujours n'avoir aucune fonction particulière. GLP

Jacques II
de Gheyn,
*Les Préparatifs
du sabbat*, 1604.
Plume et lavis,
28 × 41.
Oxford,
Ashmolean
Museum.

▪ Sorcières en sabbat

Qui dit sorcière sous-entend présence du chat, comme s'en souviendra Goya dans ses *Caprices*. Animal de prédilection des prêtresses des cultes lunaires, car lié aux forces telluriques, le chat se devait d'être le familier de leurs descendantes, les sorcières. Dès le Xᵉ siècle il se manifeste à leurs côtés, mais c'est entre le XIIIᵉ et le XVIᵉ siècle, tandis que l'Église cherche à éradiquer cultes païens et hérésies, que le phénomène atteint son comble. Le lien entre chat et sorcière, tous deux amateurs de vagabondage nocturne, dotés d'une sexualité* exacerbée, rebelles à toute autorité, ne pouvait manquer de s'imposer.

Dans les représentations populaires, le chat, assis près de la cheminée, regarde la sorcière s'oindre de l'onguent (à base de graisse de chat) qui va lui permettre de s'envoler pour le sabbat ; puis il plane à sa suite dans les airs jusqu'au lieu de la cérémonie. Il y est soit témoin, soit le démon lui-même, si l'on en juge par certains aveux arrachés à des sorcières et à tous les hérétiques (vaudois, Cathares, Templiers) supposés avoir adoré le Malin sous les traits d'un chat. Mais les chats peuvent tenir eux-mêmes leurs sabbats, auxquels ils se convient par des miaulements* nocturnes. Ces séances tumultueuses, présidées par un gros chat noir*, ont lieu la nuit du mardi gras (Poitou,

Creuse) ou aux Avents (Finistère), le plus souvent aux carrefours forestiers. Il est bien difficile d'empêcher un chat de se rendre à ces rituels sataniques, sauf à lui couper la queue* ou les oreilles (Normandie, Loiret). Couper la queue d'un chat pouvait également éviter sa métamorphose en chat-sorcier. Car dans l'esprit des autorités religieuses, le chat est un démon familier qui prend l'aspect de l'animal afin de servir en toute discrétion sa maîtresse. La sorcière elle-même a le pouvoir de se changer en chat, comme en témoignent diverses histoires (Metz, Vernon) où des chats, blessés au cours de sabbats, s'avèrent être des femmes qui portent alors la même blessure. RL

■ SYSTÉMATIQUE
Les cousins de notre chat

Felis sylvestris catus, notre chat domestique, avec ses canines qui dépassent le niveau des autres dents et ses doigts munis de griffes*, est un carnivore. De taille inférieure à un mètre, avec cinq doigts aux pattes avant et quatre aux pattes arrière, c'est un digitigrade, c'est-à-dire qu'il marche sur les doigts. Nanti d'une tête courte et ronde, équipé de griffes rétractiles, il appartient à la famille des Félidés, dans laquelle il côtoie les genres *Panthera* (lion, tigre, léopard, panthère et jaguar) et *Acynonyx* (guépard) et 28 autres espèces de petits félins réunis sous le genre *Felis* (puma, lynx et chats sauvages).

On a récemment regroupé dans l'espèce *Felis sylvestris* le chat domestique, le chat* sauvage d'Europe (*Felis silvestris silvestris*) et le chat sauvage africain (*Felis silvestris libyca*). Notre matou ne descend probablement pas du chat sauvage européen. Ce dernier, en effet, assez différent morphologiquement, reste un animal très craintif et distant. Les tentatives pour l'élever en captivité échouent généralement, et les individus issus d'un croisement avec le chat domestique héritent du tempérament de leur parent sauvage. En revanche, *Felis s. libyca* est bien moins timide, il s'alimente souvent à proximité des habitations et sa domestication* ne pose pas de problèmes pourvu qu'elle soit entreprise sur des animaux jeunes.

C'est donc plutôt en Afrique que se situent les origines de notre chat domestique. Mais des hybridations avec divers autres petits félins* ont peut-être eu lieu avant même qu'il se répande au-delà du continent africain. GLP

Georges
de Monfreid,
*Intérieur d'atelier
à la chatte
siamoise*, 1909.
H/t 81,5 × 65,5.
Paris, Orsay.

■ Tactiles (Sensations)

Il suffit d'entendre les ronronnements* de plaisir d'un chat sous la caresse, ou de recevoir un coup de griffe* s'il n'a pas envie d'être caressé, pour se convaincre de la grande sensibilité du chat au toucher. Les sensations ne lui parviennent pourtant que très atténuées, la peau de son corps étant isolée par un pelage* dense. Certaines zones, cependant, comme le museau et les coussinets plantaires, dénués de poils, sont utilisées pour l'investigation tactile. Un contact avec l'extrémité du museau entraîne généralement une vive réaction de retrait. Sensible à la température, le nez du chat lui permet également d'éviter les brûlures. La face inférieure des pattes est équipée de récepteurs tactiles : l'animal qui approche un objet inconnu l'explore à petits coups de pattes légers et répétés, évaluant sa texture, sa forme et sa taille.

La peau renferme des récepteurs qui informent le chat sur la température ambiante ; il s'en servira pour trouver le lieu qui lui convient le mieux, par exemple pour dormir. Ses seuils de sensibilité au hautes températures sont nettement plus bas que les nôtres, ce qui lui permet de marcher sur un toit brûlant…

La sensibilité de la peau est complétée par des poils tactiles répartis sur divers endroits du corps, en particulier les vibrisses*, les cils, les poils du poignet et les poils carpiens situés au bout des pattes, entre les griffes. GLP

■ Territoire et espace vital

Le faible taux de groupement spontané observé chez les chats adultes en liberté suggère que les animaux s'évitent activement. Les études du territoire des chats domestiques sont en général réalisées dans des îles, habitées ou non, où prospèrent des colonies* d'animaux revenus à la vie sauvage. D'autres études ont été réalisées dans des fermes où vivent de petites colonies ayant un minimum de rapports avec l'homme. Les deux techniques utilisées sont le radiopistage d'animaux porteurs de colliers émetteurs et la vision directe.

Il ressort de la plupart des observations que les chats vivent sur des territoires individuels sur lesquels ils ne tolèrent pas de congénères de leur propre sexe mais admettent ceux de sexe opposé. Pour les femelles, la taille de ces domaines varie considérablement, puisqu'on a trouvé des territoires individuels de 0,1 hectare dans une décharge de poissons d'une île japonaise, et de 170 hectares dans la brousse australienne, où la nourriture est bien moins abon-

dante. Les mâles occupent des territoires en moyenne 3,5 fois plus grands que ceux des femelles, et souvent très recouvrants, ce qui donne lieu à des rencontres et parfois à des agressions.

Quand les chattes vivent en colonies, les territoires individuels sont peu marqués et se recouvrent largement, en particulier aux emplacements de nourrissage. En revanche, les emplacements occupés par un groupe ne recoupent pas ceux des voisins. Bien qu'on ne dispose pas d'observations de femelles se battant pour défendre un territoire, l'évitement des autres groupes est très

fort et les femelles ne circulent pas d'un groupe à l'autre.

La notion classique du territoire conçu comme une zone défendue par les résidents ne convient peut-être pas très bien aux chats. Il semble en effet qu'ils parviennent à s'éviter tout en exploitant les mêmes sources de nourriture, tout simplement en y passant à des moments différents. Les évitements sont alors rendus possibles par un système complexe de marquages* odorants. GLP

■ TOILETTE

'enfant qui se contente d'une « toilette de chat » est accusé de ne se laver rapidement que le bout du nez. Pourtant, s'il faisait effectivement une toilette à la manière d'un chat, il en sortirait reluisant… L'animal peut consacrer plus du tiers de sa période de veille à cette activité, qu'il effectue toujours avec la plus grande application.

Ce n'est pas une préoccupation de coquetterie ou d'hygiène qui stimule ces comportements de léchage et de grattage, encore moins une vocation de météorologue (voir Faiseur de pluie), mais diverses démangeaisons cutanées causées par des parasites, des poils collés ou, en période de mue, des poils morts restés au contact de la peau. Par ailleurs, le léchage est un moyen de régulation hydrique important pour beaucoup de mammifères. Si le pelage* est efficace quand il fait froid, il devient encombrant quand le chat transpire abondamment, c'est-à-dire quand il

fait très chaud ou après un effort intense. Le léchage lui permet d'évacuer cette sueur que le poil retient contre la peau et lui apporte une certaine fraîcheur grâce à l'évaporation de la salive. De plus, il stimule les glandes cutanées dont la sécrétion imperméabilise le pelage, et offre l'occasion d'absorber la vitamine D présente sur les poils. Il est fort probable que ces substances ont un goût agréable, si bien que l'animal y revient souvent.

C'est peut-être aussi pour le plaisir que cela procure que la mère lèche abondamment ses chatons, plutôt que parce qu'elle sait qu'ils ne seront pas capables de le faire avant l'âge de six semaines. Les ronronnements* qui accompagnent de part et d'autre ces léchages mutuels suggèrent qu'ils jouent un rôle important dans les liens sociaux. C'est sans doute aussi ce qui motive leur expression plus tardive, dans la relation amicale entre animaux adultes. GLP

Chat siamois.

◼ Vibrisses

On appelle ainsi ces grandes moustaches raides portées par beaucoup de mammifères (carnivores, rongeurs...). Plantées de part et d'autre du museau, elles portent à leur base des récepteurs sensibles au moindre mouvement du poil. Chacun de ces récepteurs possède un prolongement nerveux autonome, aboutissant dans le cerveau à un groupe spécifique de neurones chargé d'analyser le mouvement du poil, sa direction, sa vitesse, sa durée, son amplitude. C'est la comparaison des informations provenant des différents poils qui renseignera l'animal sur les qualités et les positions des objets qu'il rencontre.

Les quadrupèdes pouvant difficilement explorer leur environnement les bras tendus comme à colin-maillard, les vibrisses constituent des antennes essentielles pour les déplacements nocturnes. Le chat longeant un mur ou une bordure de trottoir peut ainsi se déplacer assez rapidement sans utiliser sa vue : tant que les vibrisses restent en contact avec le support, il sait où il est.

Si la détection des proies utilise d'abord la vue ou l'audition*, les vibrisses entrent en action avant même la capture*. Quand le félin* saute sur sa victime, les vibrisses sont étendues vers l'avant, aussi loin que possible, anticipant la présence de la proie dans sa gueule. Quand ensuite la proie est transportée, elle est littéralement enveloppée par les vibrisses, et quand le chat la dépose quelques instants, ses moustaches restent à proximité ou en contact, sensibles au moindre mouvement et même au déplacement d'air causé par une tentative de fuite. Quand enfin l'animal commence à manger, c'est une exploration par les vibrisses qui le renseigne sur l'orientation du poil de sa proie, orientation dont il tiendra compte pour ingérer. GLP

◼ Vision

Avec de gros yeux* placés à l'avant de sa tête ronde, le chat possède un champ visuel particulièrement étendu et une très bonne vision du relief. En revanche, il distingue mal les couleurs et sa vision des détails reste assez grossière ; comme tous les prédateurs* il détecte avant tout les objets en mouvement.

Son œil est capable de recevoir une grande quantité de lumière : la cornée et le cristallin sont relativement grands, et la pupille peut se dilater considérablement. Mais sous l'effet d'un éclairement intense, elle se rétracte et se réduit à une simple fente ne laissant passer le jour qu'à ses extrémités. La rétine est tapissée d'une membrane réfléchissante, le *tapetum lucidum*, qui renvoie la lumière qui n'a pas été absorbée par la rétine, ce qui augmente la sensibilité de l'œil quand l'éclairage est faible, et confère aux yeux du chat leur célèbre phosphorescence.

Les cellules rétiniennes responsables de la vision crépusculaire (bâtonnets) sont en proportion élevée chez le chat. S'il est exagéré de prétendre qu'il voit dans l'obscurité (un minimum de lumière lui est nécessaire), il est certain qu'il reste un animal nocturne : la nuit lui semble sans doute moins noire qu'à nous, et son odorat et ses vibrisses* lui permettent de se déplacer, voire de capturer ses proies.

Les yeux du chaton ne s'ouvrent qu'une grosse semaine après la naissance. Il commence à les utiliser progressivement, d'abord pour localiser sa mère et la rejoindre, puis, vers trois semaines, il les dirige vers tout ce qui bouge. À un mois, il réussit le test de la « falaise visuelle » : il s'arrête devant un trompe-l'œil de falaise dessiné sous une plaque de verre. Son acuité visuelle se perfectionnera encore pendant les trois premiers mois. GLP

Yeux ou astres

« Je me tourne, ô beau chat, vers tes prunelles sacrées et il me semble que j'ai devant moi deux étoiles », s'émerveillait le Tasse. Jadis, les Chinois lisaient l'heure dans l'œil des chats. Les Celtes d'Irlande voyaient dans ce même œil la porte de l'autre monde. Les Égyptiens, fascinés par cette prunelle qui semblait suivre les phases de la lune en se diaphragmant au gré de la luminosité, avaient fait naître le félin domestique de la constellation du Lion. L'éclat vert des yeux du chat, exacerbé par les ténèbres, et le pouvoir qu'on lui attribue de voir dans l'obscurité, ont fait de lui le gardien d'un monde invisible au seuil duquel nul ne peut pénétrer, à moins d'être mage ou poète*. Contrairement à l'œil du chien* qui rassure et réconforte, celui

« Le chat ouvrit les yeux,
Le soleil est entré,
Le chat ferma les yeux,
Le soleil est resté.
Voilà pourquoi le soir
Quand le chat se réveille
J'aperçois dans le noir
Deux morceaux de soleil. »

Berceuse populaire.

du chat suscite fascination, peur et spéculation, tant il est vrai que la beauté inquiète. La membrane réfléchissante située derrière la rétine, à laquelle il doit sa bonne vision* nocturne et qui fait briller ses yeux dans la nuit, est pour beaucoup dans ce sentiment d'inquiétante étrangeté, d'autant que le vert possède une symbolique tout aussi équivoque que celle du chat, à la fois diabolique et divine, englobant mort et végétation. Retrouvant la symbolique égyptienne, l'art roman a renoué avec la dualité diurne-nocturne du regard félin, le chat figurant les heures du jour et de la nuit au portail ou à l'une des absides de plusieurs églises de France. RL

ASSOCIATIONS FÉLINES

**ASSOCIATION
INTERNATIONALE FÉLINE**
38, avenue du Président-Wilson
75116 Paris
Tél. : (16-1) 45 53 71 48
Fax : (16-1) 47 04 59 20

**ASSOCIATION LES CHATS
DE FRANCE**
207, rue de la Ville-de-Paris
95530 La Frette-sur-Seine
Tél. : (16-1) 39 78 53 95
Fax : (16-1) 39 78 86 97

**FÉDÉRATION FÉLINE
DE FRANCE** (affiliée à la FIFe)
**CAT CLUB DE PARIS ET
DES PROVINCES FRANÇAISES**
75, rue Claude-Decaen
75012 Paris
Tél. : (16-1) 46 28 26 09
Fax : (16-1) 43 42 43 09

CAT CLUB D'AQUITAINE
32, chemin Lafitte
33000 Bordeaux
Tél. : (16) 56 50 38 66
Fax : (16) 56 50 38 78

CAT CLUB DE L'OUEST
7, rue Ernest-Lefrant
50400 Granville
Tél. : (16) 31 26 22 97
Fax : (16) 31 26 00 47

CAT CLUB D'OCCITANIE
« Le Champ de Calviac »
46300 Le Vigan
Tél. : (16) 65 41 12 84
Fax : (16) 65 41 45 84

**CAT CLUB CÔTE D'AZUR-
PROVENCE**
Domaine de Calas 6, rue Picasso
13480 Calas
Tél. : (16) 42 69 19 88
Fax : (16) 42 69 07 00

**CAT CLUB DE LYON
DAUPHINÉ-SAVOIE**
Route de Monthieux
01390 Saint-André-de-Corcy
Tél. : (16) 72 26 43 57
Fax : (16) 72 02 07 74

**CAT CLUB D'AUVERGNE
BOURBONNAIS-LIMOUSIN**
11, impasse sous les Puys
63800 Cournon
Tél. : (16) 73 84 51 83
Fax : (16) 73 69 31 98

**ASSOCIATION NATIONALE
DES CERCLES FÉLINS
DE FRANCE**
7, rue Chaptal
75009 Paris
Tél. : (16-1) 48 78 43 54
Fax : (16-1) 40 23 08 92

**CERCLE FÉLIN DU
LANGUEDOC-MIDI-PYRÉNÉES**
6, rue de Trinquet
09330 Montgaillard
Tél. : (16) 61 65 22 05

CERCLE FÉLIN DE L'EST
89, rue Sandoz
68700 Cernay
Tél. et Fax : (16) 89 39 87 44

CERCLE FÉLIN DU CENTRE
13, rue Villebois-Mareuil
18000 Bourges
Tél. et Fax : (16) 48 20 45 59

**CERCLE FÉLIN
GASCOGNE-BÉARN**
7, allée Val-des-Prés
64340 Boucau
Tél. : (16) 59 64 21 06
Fax : (16) 59 64 31 00

**CERCLE FÉLIN
PROVENCE-CÔTE D'AZUR**
483, domaine de la Baumette
83530 Agay
Tél. et Fax : (16) 94 82 74 94

LA FRENCH CONNECTION
134, avenue de Paris
78740 Vaux-sur-Seine
Tél. : (16-1) 30 99 06 15
Fax : (16-1) 34 74 69 67

S.C.F.F.
24, rue de Nantes
75019 Paris
Tél. : (16-1) 40 35 18 04
Fax : (16-1) 40 34 36 20

**FÉDÉRATION
INTERNATIONALE DU CHAT**
15, rue des Acacias
91270 Vigneux
Tél. : (16-1) 69 03 51 98

**UNION NATIONALE
DES ASSOCIATIONS FÉLINES**
20, rue Martin
76320 Candebec-les-Elbeufs
Tél. : (16) 35 77 12 20

**ASSOCIATION FÉLINE
DES PAYS DE LA LOIRE**
Maison des Associations
46*ter*, rue Sainte-Catherine
45000 Orléans
Tél. : (16) 38 75 24 06
Fax : (16) 38 75 27 87

**ASSOCIATION FÉLINE
RHODANIENNE**
28, avenue des Frères-Lumière
69008 Lyon
Tél. : (16) 78 00 92 98

**ASSOCIATION
RHÔNE-ALPES FÉLINE**
« La Folie »
74570 Evires
Tél. : (16) 50 62 01 60
Fax : (16) 50 62 02 08

CERCLE FÉLIN DE PARIS
12, rue Janssen 75019 Paris
Tél. : (16-1) 42 39 85 24

CLUB FÉLIN FRANÇAIS
3, rue du Lavoir
78870 Bailly
Tél. : (16-1) 34 62 00 34

LOISIRS FÉLINS FRANÇAIS
5, allée Pablo-Néruda
28500 Vernouillet
Tél. et Fax : (16) 37 42 53 79

CLUB EUROPÉEN DU CHAT
Les Pascarrons
84220 Murs-en-Provence
Tél. et Fax : (16) 90 72 62 94
Antenne : 36, rue Marcelin-
Berthelot
69120 Vaux-en-Velin
Tél. et Fax : (16) 72 04 65 56

LES CLUBS DE RACES

ABYSSIN ET SOMALI
Associations des amis des chats
abyssins et somalis FFF
Présidente : Mme Desseaux
40, boulevard Léon-Bourgeois
35000 Rennes
Tél. : (16) 99 50 54 84

Délégations :
Île-de-France : M. Boucaux
Tél. : (16-1) 43 71 43 66
Sud-Est : Mlle Prunier
Tél. : (16) 94 48 08 69
Sud-Ouest : Mme Peyre
Tél. : (16) 56 88 52 89

Alliance-Abyssins-Somalis
1, avenue du Moulin-de-Saquet
94400 Vitry-sur-Seine
Tél : (16-1) 47 26 05 51

Club des fans de l'abyssin
et du somali agréé par
l'Abyssian-Somali International
Cat Club
Les Hauts de Resty 855
Route de Bras
83470 Saint-Maximin
Tél. : (16) 94 86 53 21
Antenne Paris et Région parisienne :
Tél. : (16-1) 43 49 29 41
Antenne France-Centre :
Tél. : (16) 49 37 26 46

Amicale des amateurs d'abyssins
29, rue du Télégraphe
75020 Paris
Tél. : (16-1) 43 49 29 41

ANGORA TURC
Amicale interclubs du chat angora
turc (AICAT)
33, rue Paul-Vaillant-Couturier
92240 Malakoff
Tél. : (16-1) 46 55 11 68

Angoras d'hier et d'aujourd'hui
23, avenue Centrale
91190 Gif-sur-Yvette
Tél. : (16) 60 12 31 45

BALINAIS ET MANDARINS
Association nationale pour
l'amélioration du balinais et du
mandarin

21, rue de la Coudraie
91190 Gif-sur-Yvette
Tél. : (16-1) 69 28 16 08
Fax : (16-1) 69 07 03 98

Association internationale
pour l'amélioration des balinais
et des mandarins
7, square Couperin
78330 Fontenay-le-Fleury
Tél. : (16-1) 34 60 02 31

BENGALI
Club du chat du Bengale
13, rue Villebois-Mareuil
18000 Bourges
Tél. : (16) 48 20 45 59
ou (16) 48 21 02 04

BLEU RUSSE
Club du bleu russe
28, rue des Tilleuls
65300 Pinas
Tél. : (16) 62 98 29 05

BOMBAY
Bombay Club de France
71, boulevard Arago
75013 Paris
Tél. : (16-1) 43 37 84 11

BURMESE
Club du chat burmese
59, boulevard du Château
92200 Neuilly-sur-Seine
Tél. : (16-1) 46 24 90 60

CHARTREUX
Club du chat des Chartreux FFF
56, rue de Ponthieu
75008 Paris
Tél. : (16) 48 55 01 31
(Province et Centre)
ou (16-1) 39 78 16 16
(Région parisienne)

Chartreux mon ami
88, quai de la Loire
75019 Paris
Tél. : (16-1) 42 00 26 99

CHAT DE MAISON
Amicale du chat de maison
146, rue du Général-Leclerc
77780 Bourron-Marlotte
Tél. : (16-1) 64 45 93 83

CHAT DES FORÊTS
NORVÉGIENNES
Club des chats
des forêts norvégiennes FFF
Pérassier
03310 Néris-les-Bains
Tél. : (16-1) 47 02 99 34 (Paris)
ou (16) 70 03 22 45 (Centre)

Association internationale
de défense du skogkatt
11, routes de Ganges
34190 Laroque
Tél. : (16) 67 73 57 71

Club français du norvégien
App. 12
43bis, rue Roque-de-Fillol
92800 Puteaux
Tél. : (16-1) 47 73 07 64

CHAT SACRÉ DE BIRMANIE
Cercle du chat sacré de Birmanie
18, rue du Grenier-à-Blé
78690 Les Essarts-le-Roi
Tél. : (16-1) 30 41 98 10

Association nationale pour
l'amélioration du chat sacré
de Birmanie
16 villa des Fleurs ou
7, impasse du Royaume
91440 Bures-sur-Yvette
Tél. : (16-1) 69 28 79 54

Association féline
du chat sacré de Birmanie
16, impasse E. Givors ou
22, rue E. Givors
94240 L'Haÿ-les-Roses
Tél. : (16-1) 46 65 71 36

EUROPÉEN
Association féline
du chat européen
20, avenue de Tobrouk
78500 Sartrouville
Tél. : (16-1) 39 57 54 51

EXOTIC SHORTHAIR
Exotic Club International
La Forêt
74570 Groisy
Tél. : (16) 50 68 41 08

KORAT
Association féline des propriétaires
et éleveurs de korats AFEPEK
28*bis*, rue de l'Église
94100 Vincennes
Tél. et Fax : (16-1) 48 08 03 67

MAINE COON
Association féline du maine coon
2, place Jean-Moulin
93380 Pierrefitte
Tél. : (16-1) 48 22 17 32
ou (16-1) 48 46 90 35

European Maine Coon Club
8, rue des Lavandières
77450 Trilbardou
Tél. : (16-1) 60 61 00 54

PERSAN
Association féline du persan
46*ter*, rue Sainte-Catherine
45000 Orléans
Tél. : (16) 38 75 24 06

Cercle félin du persan
12, rue Janssen
75019 Paris
Tél. : (16-1) 42 39 85 24

Association féline
des amis du persan
2, rue Saint-Exupéry
59810 Lesquin
Tél. : (16) 20 87 65 85

Club du persan chinchilla, silver
shaded et dérivés FFF
12, rue Bildstein
67500 Haguenau
Tél. : (16) 88 93 50 41

Cercle du persan colourpoint FFF
8, hameau de Retolu
91890 Videlles
Tél : (16-1) 64 98 35 45

Club du persan colourpoint
16, rue des Acacias
91270 Vigneux
Tél. : (16-1) 69 03 51 98

Club du persan particolore
Château de la Haute-Braconnière
85170 Dompierre-sur-Yon
Tél. : (16) 51 07 59 10

Club du persan smoke
23, rue Wastin
59123 Loos-Lez-Lille
Tél. : (16) 20 07 70 91

Club du persan blanc
17, rue de l'Abbé-Papon
69005 Lyon
Tél. : (16) 72 38 00 31

Shadow and Light
(smoke et silver tabby)
4, square André-Gedalgue
92600 Asnières

RAGDOLL
Ragdoll Club France TICA
Chemin du Moulin-de-Cibouria
64210 Arbonne
Tél. : (16) 59 41 99 04

Ragdoll Club (TICA)
Ferme de la Bêche
01960 Saint-André-sur-Vieux-Jonc
Tél. : (16) 74 52 78 55

REX ET SPHINX
Cercle de Loisir
des chats rex et sphinx
Saint-Cadreuc
22650 Ploubalay
Tél. : (16) 96 27 32 43
ou (16) 44 08 31 74

**SCOTTISH FOLD
ET HIGHLAND FOLD**
Les Amis du scottish fold
et du highland fold
134, rue de Tolbiac
75013 Paris
Tél. : (16-1) 48 43 06 72
Fax : (16-1) 48 46 92 65

SELKIRK REX
Club félin du selkirk rex
45, rue du Parc
94230 Cachan
Tél. : (16-1) 47 40 81 51

SIAMOIS ET ORIENTAL
Club du siamois et de l'oriental
FFF
23, avenue Charras
63000 Clermont-Ferrand
Tél. : (16) 73 91 49 83

Club international du siamois
et de l'oriental
Château Labric
33480 Margaux
Tél. : (16) 56 30 45 54

Association féline des amis du
siamois et de l'oriental (AFAS)
6, square Arago
78330 Fontenay-le-Fleury
Tél. : (16-1) 30 45 17 20

SINGAPURA
Alliance Singapura
Quartier Le Chatelard
26750 Triors
Tél. : (16) 75 71 41 24
ou (16) 75 43 27 95
Fax : (16) 75 42 74 66

Singapuras Partner's
1, rue Scudéry
13007 Marseille
Tél. : (16) 91 31 70 38

QUELQUES ADRESSES UTILES

**SOCIÉTÉ PROTECTRICE
DES ANIMAUX**
39, boulevard Berthier
75017 Paris
Tél. : (16-1) 43 80 40 66

ASSISTANCE AUX ANIMAUX
23, avenue de la République
75011 Paris
Tél. : (16-1) 43 55 76 57

**FONDATION
BRIGITTE BARDOT**
4, rue Franklin
75008 Paris
Tél. : (16-1) 45 25 24 21

CHAT PERDU OU TROUVÉ
Fichier national félin
Tél. : (16-1) 43 79 89 77
Minitel : 3617 code FELITEL

Recherche SPA
Tél. : (16-1) 47 98 57 40

DISPENSAIRES SPA
Amiens
Tél. : (16) 22 52 16 30
Cannes-Antibes
Tél. : (16) 93 69 92 95
Grenoble
Tél. : (16) 76 09 43 67

Lens-Liévin
Tél. : (16) 21 45 25 55
Lyon
Tél. : (16) 78 52 61 17
Marseille
Tél. : (16) 91 80 14 31
Orléans
Tél. : (16) 38 88 97 31
Paris
Tél. : (16-1) 46 33 94 37
Perpignan
Tél. : (16) 68 50 91 60
Rouen (Petit-Quevilly)
Tél. : (16) 35 63 20 27
Toulouse
Tél. : (16) 61 63 82 03

I N D E X

INDEX

BIBLIOGRAPHIE SÉLECTIVE

Fernand Mery, *Le Chat, sa vie, son histoire, sa magie*. Paris, 1966.

Gillette Grilhe, *Le Chat et l'homme*. Paris, Fribourg, 1974.

Robert Darnton, *Le Grand Massacre des chats. Attitudes et croyances dans l'ancienne France*. Paris, 1985.

Marcel Bisiaux et Catherine Jajolet, *Chat plume*. Paris, 1985.

Marcel Bisiaux et Catherine Jajolet, *Chat huppé*. Paris, 1986.

Élisabeth Foucart-Walter et Pierre Rosenberg, *Le Chat et la palette*. Paris, 1987.

Albert Pintera, *Chats*. Paris, 1989.

Robert de Laroche, *Chats de Venise*. Paris, 1991.

Laurence Bobis, *Les Neuf Vies du chat*. Paris, 1991.

Théophile Steinlen, *Chats*. Paris, 1992.

Agence Magnum, *Les Chats*. Paris, 1993.

Alain Raveneau, *Inventaire des animaux domestiques en France*. Paris, 1993.

Robert de Laroche, *Histoire secrète du chat*. Paris, 1993.

Hans Silvester, *Les Chats du soleil*. Paris, 1996.

Yves Delaporte, *Les Chats du Père Lachaise*, in *Terrain* n° 10. Mission du patrimoine ethnologique, Paris.

Crédits photographiques : LONDRES Tate Gallery 89 ; PARIS, Archives Flammarion 55, 79, 88, 89, 91, 92, 101 ; Bibliothèque Nationale de France 88, 93 ; Dagli Orti 10, 26, 42, 45, 50, 51, 78, 80, 96 ; Jacana 32, 34, 60, 62-63, 94, 97, 102 /J.P. Thomas 4-5, 100, /S. Krasemann 12 /R. Volot 14-15 /E. Lemoine 16 /G. Félix 48h, 73 /Axel 49, 58h, 58b /P. Pilloud 53 /Brevelay 59h /H. Schwind 59b /Frédéric 66, 112 /G. Sommer 69 /B. Josedupont 76-77 /C. Errath 103 /A. Nedoncelle 106-107, 114 /W. Geiersperger 115 ; Jean-Loup Charmet 23, 35, 40, 71, 95 ; Magnum/ David Seymour 30-31 /Erich Lessing 39 /Eliott Erwitt 43 /Paul Fusco 64-65 /Josef Koudelka 70 ; Réunion des musées nationaux 20, 28, 33, 67, 74-75h, 86-87, 97, 98, 110 ; STOCKHOLM, Nationalmuseum 79 ; VANVES, Giraudon 18-19 ; Lauros-Giraudon 56-57 ; VILLEVANS, Daniel Canestrier couverture 13, 17, 24-25, 29, 36-37, 38, 44, 46-47, 52, 54 , 61, 74-75b, 81, 83, 84-85, 90-91, 105, 108, 109, 111.
Les illustrations des versos de couverture ont été réalisées à partir de photographies de l'agence Cogis, Versailles.

Directeur de la Série Science et Nature : Geneviève CARBONE
Coordination éditoriale : Béatrice PETIT
Rewriting : Christine EHM
Direction artistique : Frédéric CÉLESTIN
Mise en pages : Thierry RENARD
Photogravure, Flashage : Pollina s.a., Luçon
Papier : BVS-Plus brillant 135 g. distribué par Axe Papier, Champigny-sur-Marne
Couverture imprimée par Pollina s.a., Luçon
Achevé d'imprimer et broché en décembre 1997 par Pollina s.a., Luçon

© 1996 Flammarion, Paris
ISBN : 2-08-011789-0
ISSN : 1258-2794
N° d'édition : FA178902
N° d'impression : 73581
Dépôt légal : septembre 1996
Imprimé en France